초등 수학 핵심파트 집중 완성

교과특강

C1

길이와 시간

에듀히어로
Edu HERO

"진짜 히어로는 우리 아이들입니다!"

에듀히어로는
우리 아이들이 밝고 건강한 내일을 꿈꿀 수 있도록
긍정적이고 효과적인 교육 서비스를 제공하는 것을
최우선 목표로 하고 있습니다.

그 존재만으로도 든든한 히어로처럼 아이들의 곁에서 힘이 되어주고,
나아가 아이들 각자가 스스로의 인생 속 히어로가 될 수 있도록

우리는 진심과 열정을 다해 아이들과 함께 할 것을 약속 드립니다.

네이버 카페

교재 상세 소개와 진단 테스트 및 유용하게 풀 수 있는 학습 자료를 다운로드 해 보세요.

인스타그램

에듀히어로 인스타그램을 팔로우하시면 다양한 이벤트와 신간 소식을 빠르게 만나보실 수 있습니다.

카카오톡 채널

자녀 수학 공부 상담 및 자유로운 질문을 남겨 주세요. 함께 고민하고 답변해 드리겠습니다.

히어로컨텐츠 HEROCONTENS

발행일: 2023년 1월 **발행인**: 이예찬

기획개발: 두줄수학연구소

디자인: 4BD STUDIO **삽화**: 1000DAY

발행처: 히어로컨텐츠

주소: 서울특별시 금천구 서부샛길 632, 7층(대륭테크노타운5차)

전화: 02-862-2220 **팩스**: 02-862-2227

지원카페: cafe.naver.com/eduherocafe **인스타그램**: @edu__hero **카카오톡**: 에듀히어로

초등 수학 핵심파트 집중 완성 교과특강

수학을 잘 하기 위해서는 1) 수와 연산 2) 도형 3) 측정 4) 규칙성 5) 자료와 가능성 등 초등 수학 5대 학습 영역을 고르게 학습해야 합니다.

다른 교과 과목에 비해 많은 시간을 수학을 학습하는 데 할애하고 있지만 아쉽게도 대부분은 연산 영역에 편중되어 있습니다.

최근 들어 '도형' 등 연산 이외의 다른 영역으로 학습을 확장하는 교재들이 출간되고 있지만 여전히 학년별로 다양한 학습 영역과 필수 주제를 체계적으로 안내해 주는 학습지는 많지 않은 것이 현실입니다.

그런 이유로 교과특강은 학년별 필수 주제를 기본 개념부터 응용, 사고력까지 충분하게 학습하고 훈련할 수 있도록 개발되었습니다

수학을 잘 하고 싶은 학생들에게 노력한 만큼의 성장을 이루어내는 데 교과특강은 좋은 토양과 밑거름이 되어줄 것입니다.

초등 수학 핵심파트 집중 완성 교과특강은

1. '자료 해석 능력'을 집중적으로 키웁니다.

앞으로의 학습은 주어진 표와 그래프를 보고 그 의미를 해석하고 추론하는 '자료 해석 능력'을 요구합니다. 실제로 초등 전학년 뿐만 아니라 중등 과정에서도 '자료 해석'은 학습자의 문제해결력을 확인하는 중요한 소재가 되고 있습니다. 다양한 표와 그래프를 이해하고 해석하는 학습은 초등 과정부터 미리 준비하고 집중적으로 훈련할 필요가 있습니다.

2. '측정', '규칙성' 등 필수 영역임에도 쉽게 지나칠 수 있는 주제를 체계적으로 학습합니다.

길이, 무게, 시간, 어림하기 등 초등 과정에서 쉽게 지나치기 쉬운 '측정'과 추론 능력을 길러주는 '규칙성'을 집중적으로 학습합니다.

3. 복습과 예습으로 학년과 학년 사이의 징검다리 역할을 합니다.

1학년에서 2학년, 2학년에서 3학년, 3학년에서 4학년 등 학년이 올라갈수록 특정 영역에서 수학이 갑자기 어려워지는 순간이 옵니다. 교과특강은 각 학년에서 반드시 짚고 넘어가야 하는 주제를 복습하면서 다음 학년을 위한 예습까지 할 수 있도록 개발되었습니다.

4. 문제해결력과 사고력을 길러줍니다.

기본적인 개념을 바탕으로 이를 응용하고 활용하는 문제해결력과 생각하는 힘을 길러줍니다.

초등 수학 핵심파트 집중 완성 **교과특강**은

7세부터 6학년까지 총 7단계 21권(단계별 3권)으로 구성되어 있으며 각 권은 하루에 1장씩 주 5회, 총 4주간 체계적으로 학습할 수 있습니다.

매주 5일차의 학습이 끝난 뒤엔 '생각더하기'를 통해 창의력과 사고력을 기르고, 4주의 학습이 끝난 뒤엔 '링크'와 '형성평가'로 관련 주제를 학습하고 교과 수학을 완성할 수 있습니다.

대 상	단 계	구 성
7세 ~ 1학년	P	P1, P2, P3
1학년	A	A1, A2, A3
2학년	B	B1, B2, B3
3학년	C	C1, C2, C3
4학년	D	D1, D2, D3
5학년	E	E1, E2, E3
6학년	F	F1, F2, F3

<교과 수학 시리즈 C단계 로드맵>

에듀히어로의 교과 수학 시리즈를 체계적으로 학습하기 위한 로드맵입니다.

예습을 하며 집중적으로 학습하려면 '영역별 집중 학습'을,

교과서 진도에 맞추어 학습하려면 '교과 진도 맞춤 학습'을 권장드립니다.

[영역별 집중 학습]

1월	2월	3월	4월	5월	6월

[교과 진도 맞춤 학습]

1월	2월	3월	4월	5월	6월	7월	8월	9월	10월

교과특강은 교과 수학을 완성합니다.

주제별 학습

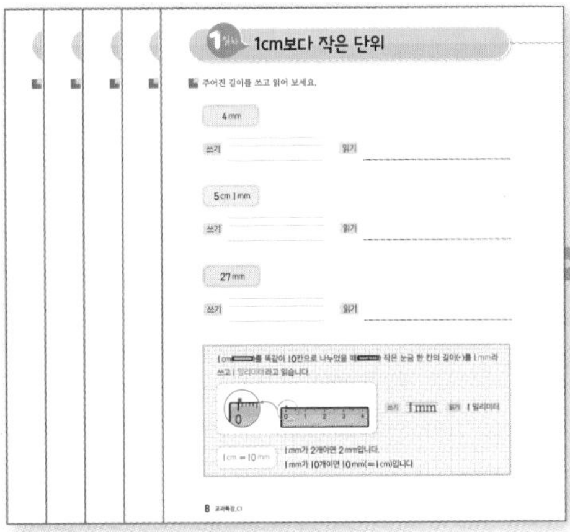
1일차 1cm보다 작은 단위

주어진 길이를 쓰고 읽어 보세요.

4 mm

쓰기 읽기

5 cm 1 mm

쓰기 읽기

27 mm

쓰기 읽기

8 교과특강

생각더하기

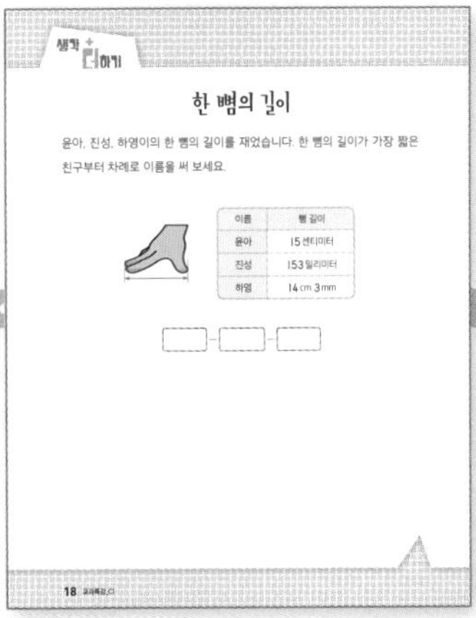
생각 더하기

한 뼘의 길이

윤아, 진성, 하영이의 한 뼘의 길이를 재었습니다. 한 뼘의 길이가 가장 짧은 친구부터 차례로 이름을 써 보세요.

이름	뼘 길이
윤아	15 센티미터
진성	153 밀리미터
하영	14 cm 3 mm

18 교과특강

초등 수학을 주제별로 집중 학습합니다. 각 주차의 마지막에 있는 **생각더하기**로 문제해결력을 기릅니다.

링크

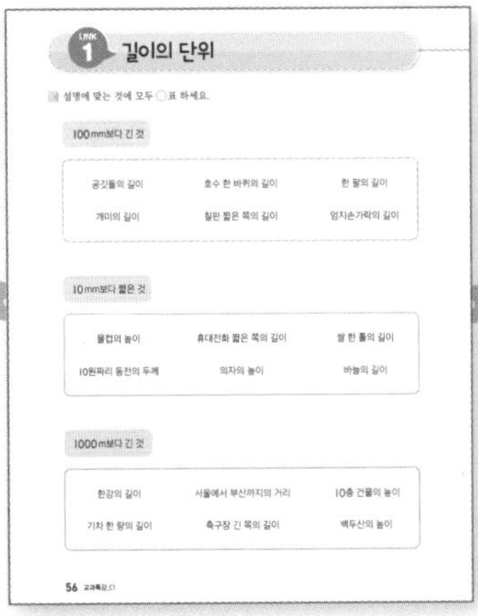
LINK 1 길이의 단위

설명에 맞는 것에 모두 ○표 하세요.

100 mm보다 긴 것

10 mm보다 짧은 것

1000 m보다 긴 것

56 교과특강

주제별 학습과 연결하여 사고력과 창의력을 향상시킬 수 있는 내용을 학습합니다.

형성평가

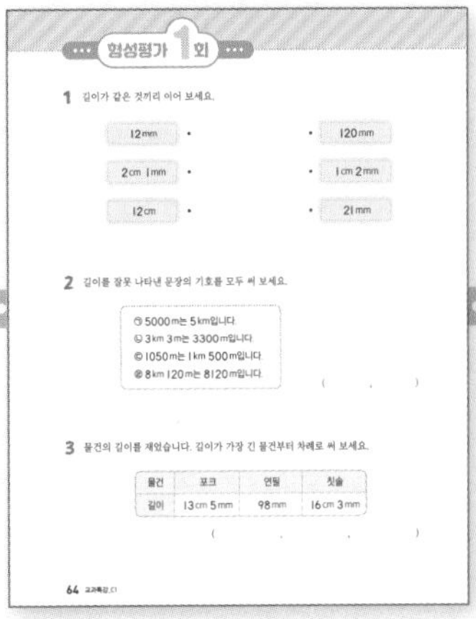
형성평가 1회

1 길이가 같은 것끼리 이어 보세요.

2 길이를 잘못 나타낸 문장의 기호를 모두 써 보세요.

3 물건의 길이를 재었습니다. 길이가 가장 긴 물건부터 차례로 써 보세요.

물건	포크	연필	칫솔
길이	13 cm 5 mm	98 mm	16 cm 3 mm

64 교과특강

2회의 형성평가로 배운 내용을 잘 알고 있는지 확인합니다.

이 책의 차례

1 주차

밀리미터

1일차 1cm보다 작은 단위

주어진 길이를 쓰고 읽어 보세요.

4 mm

쓰기

읽기

5 cm 1 mm

쓰기

읽기

27 mm

쓰기

읽기

1 cm( )를 똑같이 10칸으로 나누었을 때( ) 작은 눈금 한 칸의 길이(▪)를 1 mm라 쓰고 1 밀리미터라고 읽습니다.

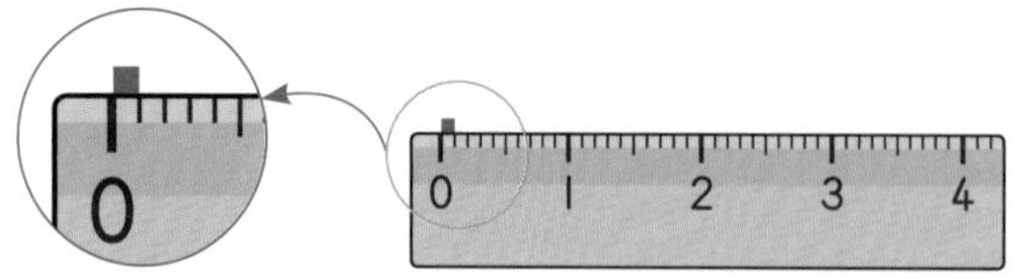

쓰기 1 mm 읽기 1 밀리미터

1 cm = 10 mm

1 mm가 2개이면 2 mm입니다.

1 mm가 10개이면 10 mm(=1 cm)입니다.

0부터 시작하여 선을 따라 주어진 길이만큼 선을 그어 보세요.

8 mm

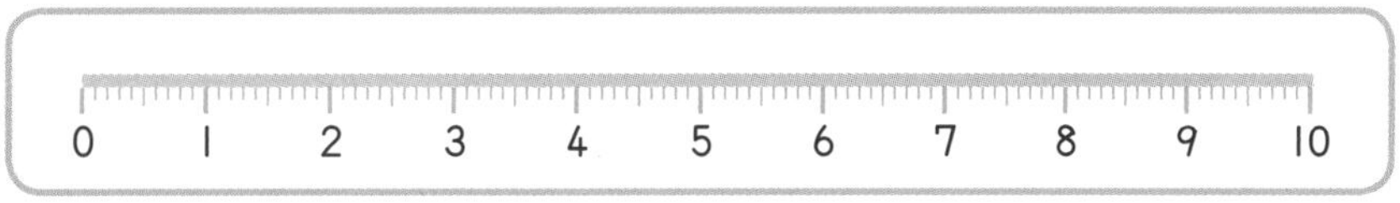

6 cm 4 mm

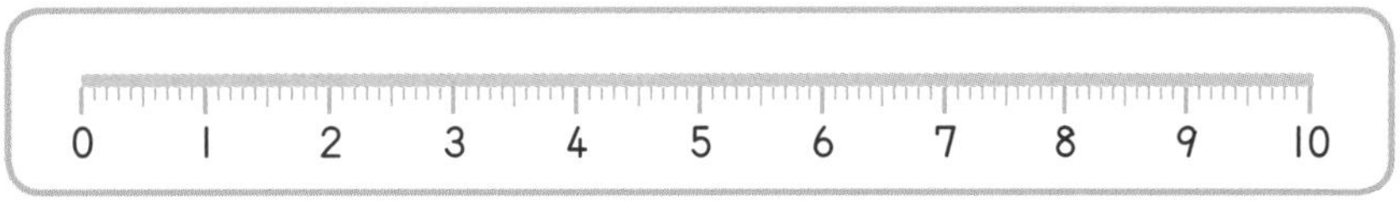

42 mm

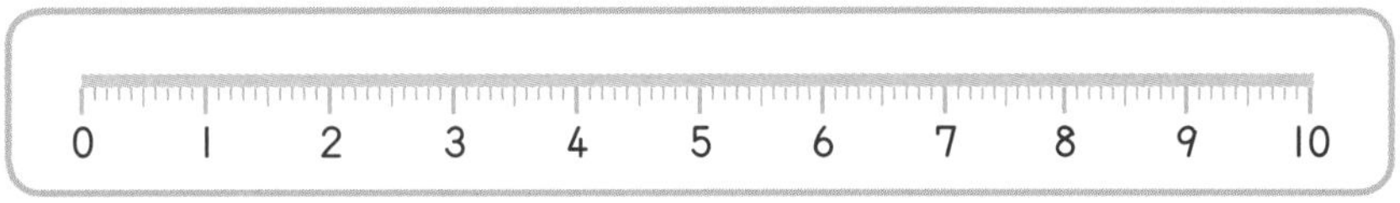

8 cm 7 mm

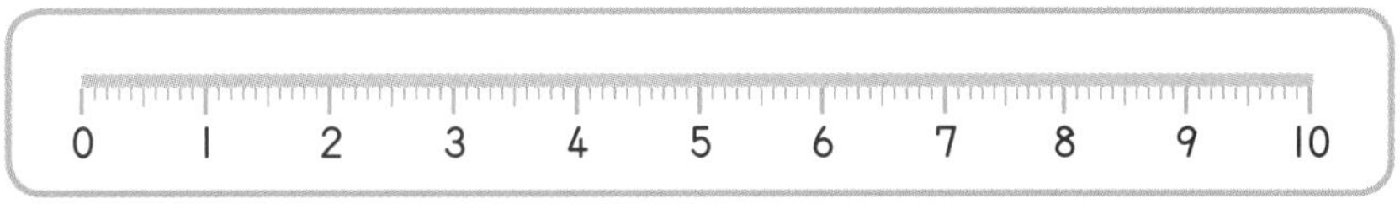

막대의 길이는 3 cm보다 길고 4 cm보다 짧습니다.
3 cm보다 6 mm 더 긴 것을 3 cm 6 mm라 쓰고 3 센티미터 6 밀리미터라고 읽습니다.
3 cm 6 mm는 36 mm입니다.

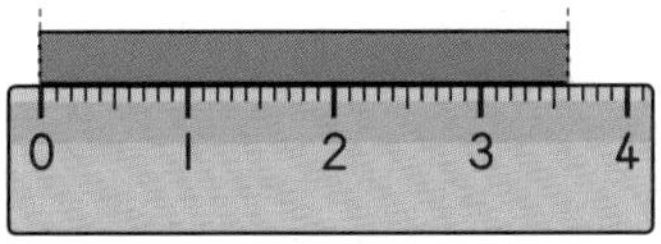

3 cm 6 mm = 36 mm

쓰기 3 cm 6 mm 읽기 3 센티미터 6 밀리미터

쓰기 36 mm 읽기 36 밀리미터

2일차 길이 나타내기

색연필의 길이를 써 보세요.

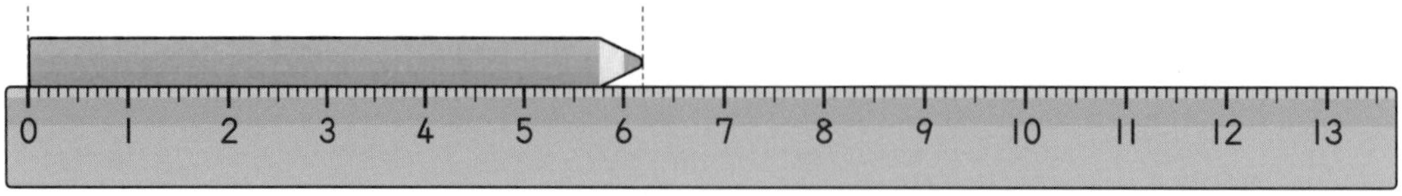

□ cm □ mm = □ mm

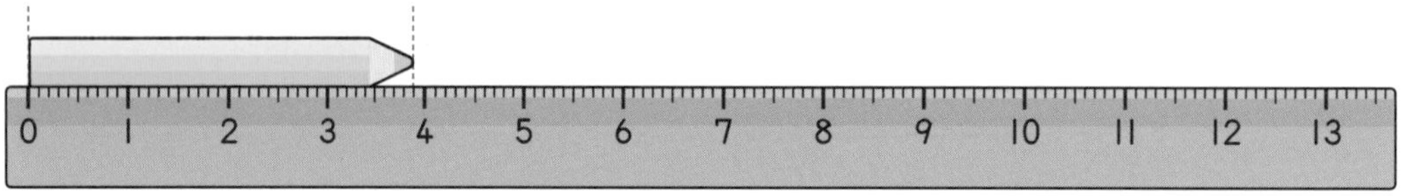

□ cm □ mm = □ mm

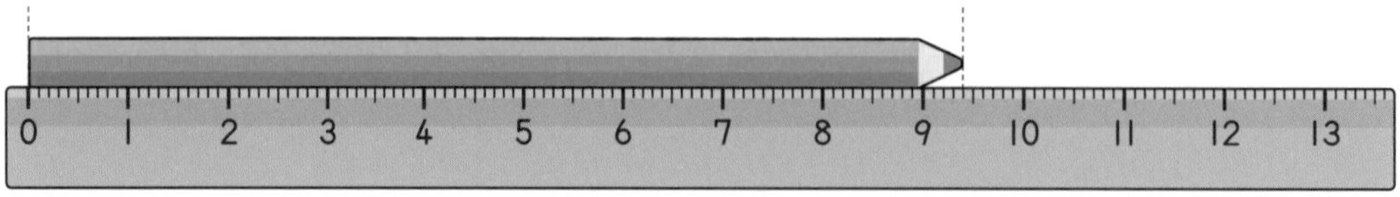

□ cm □ mm = □ mm

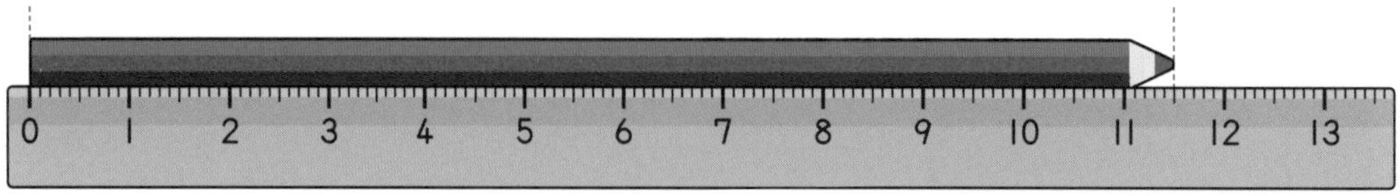

□ cm □ mm = □ mm

막대의 길이를 바르게 나타낸 것에 ◯표 하세요.

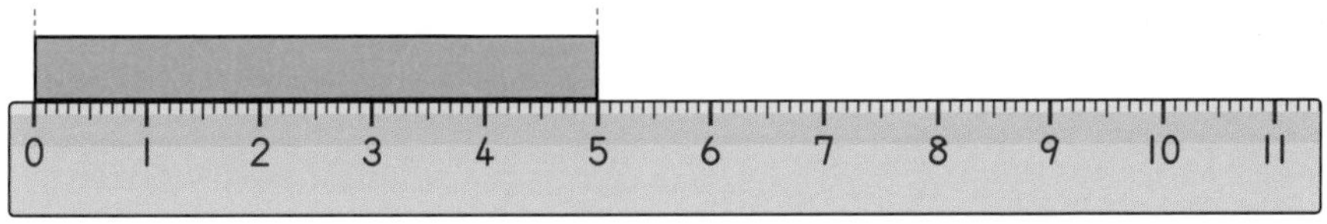

50 cm

50 mm

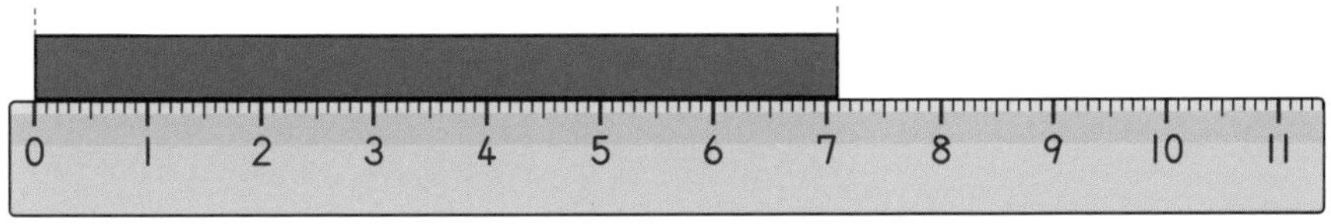

7 cm 6 mm

71 mm

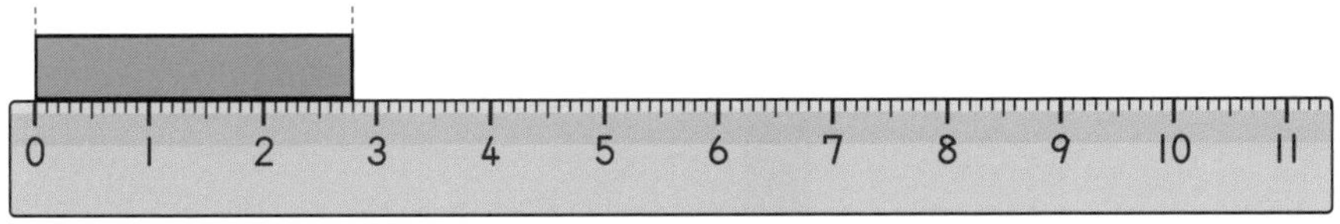

28 mm

3 cm 8 mm

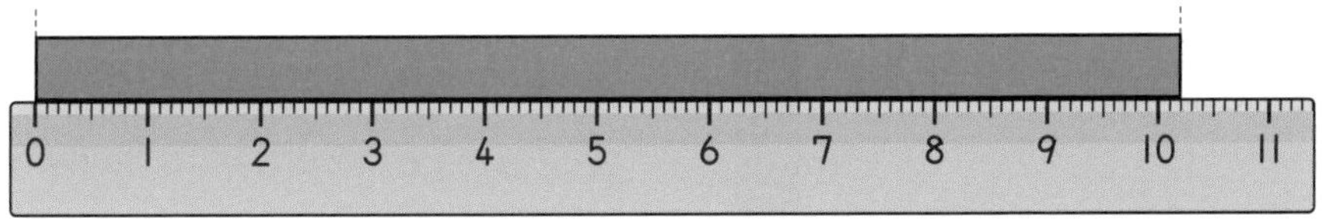

10 cm 2 mm

120 mm

3일차 자로 길이 재기

자를 이용하여 막대의 길이를 재어 보세요.

☐ mm

☐ cm ☐ mm

☐ mm

☐ cm ☐ mm

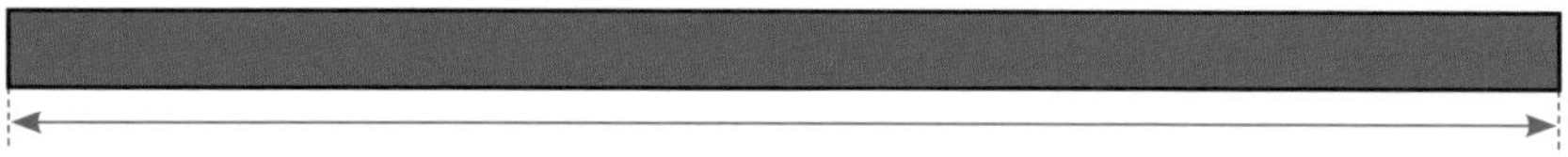

☐ mm

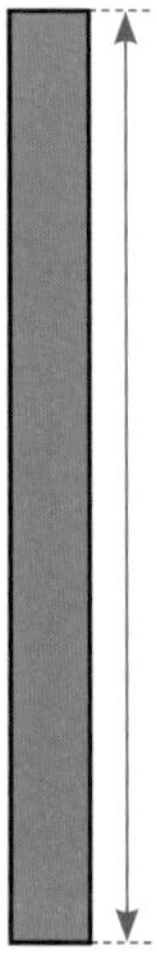

☐ cm ☐ mm

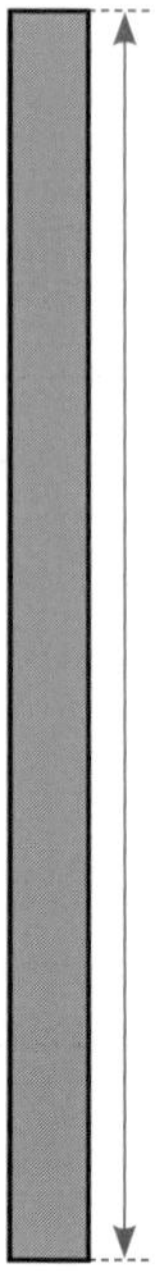

☐ mm

자를 이용하여 길이가 같은 선분 2개를 찾아 각각 기호를 써 보세요.

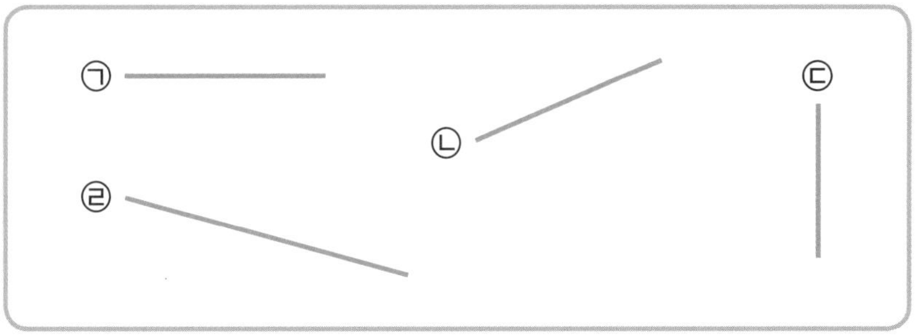

(,)

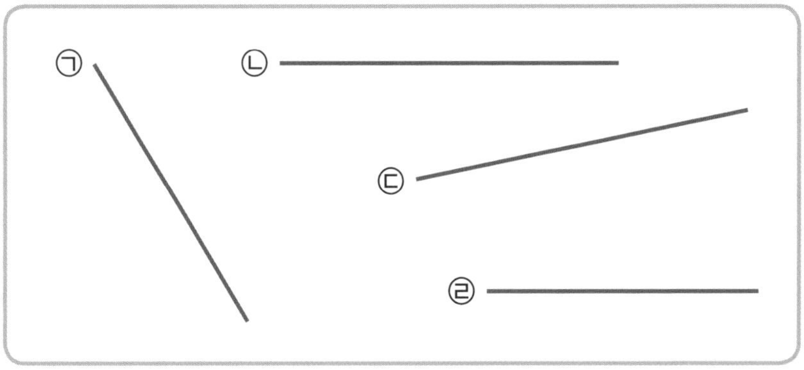

(,)

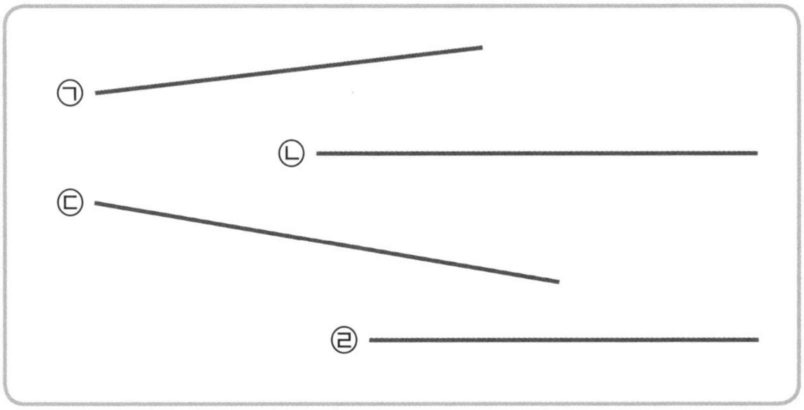

(,)

4일차 cm와 mm의 관계

빈칸에 알맞은 수를 써넣으세요.

2 cm = ☐ mm

5 cm 9 mm = ☐ mm

9 cm 2 mm = ☐ mm

8 cm 7 mm = ☐ mm

10 cm = ☐ mm

10 cm 6 mm = ☐ mm

13 cm 5 mm = ☐ mm

46 mm = ☐ cm ☐ mm

60 mm = ☐ cm

71 mm = ☐ cm ☐ mm

98 mm = ☐ cm ☐ mm

110 mm = ☐ cm

103 mm = ☐ cm ☐ mm

124 mm = ☐ cm ☐ mm

길이가 가장 긴 것부터 차례로 기호를 써 보세요.

㉠ 1 cm 5 mm
㉡ 28 mm
㉢ 2 cm 5 mm

(　　　,　　　,　　　)

단위를 한 가지로 나타냅니다.

㉠ 5 mm
㉡ 4 cm
㉢ 50 mm

(　　　,　　　,　　　)

㉠ 3 cm 4 mm
㉡ 3 cm
㉢ 40 mm

(　　　,　　　,　　　)

㉠ 7 cm 6 mm
㉡ 6 cm
㉢ 65 mm

(　　　,　　　,　　　)

㉠ 97 mm
㉡ 10 cm 2 mm
㉢ 9 cm 5 mm

(　　　,　　　,　　　)

㉠ 120 mm
㉡ 10 cm
㉢ 11 cm 9 mm

(　　　,　　　,　　　)

5일차 눈금 세어 길이 재기

나무 막대의 길이를 써 보세요.

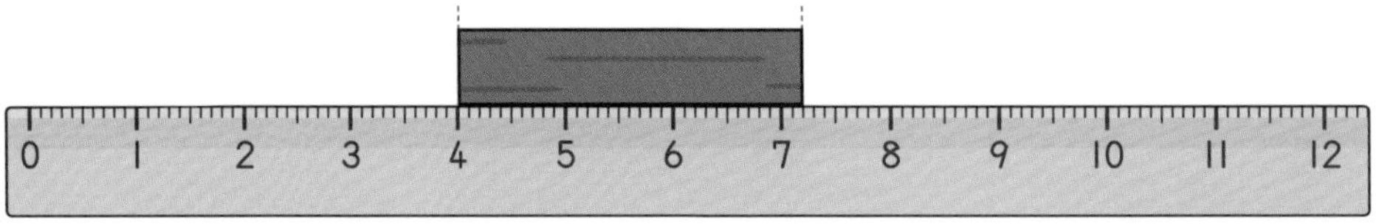

☐cm ☐mm = ☐mm

큰 눈금과 작은 눈금이 몇 칸인지 세어 봅니다.

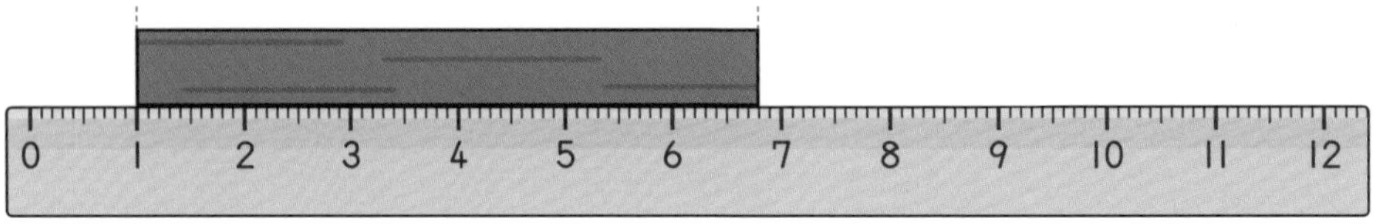

☐cm ☐mm = ☐mm

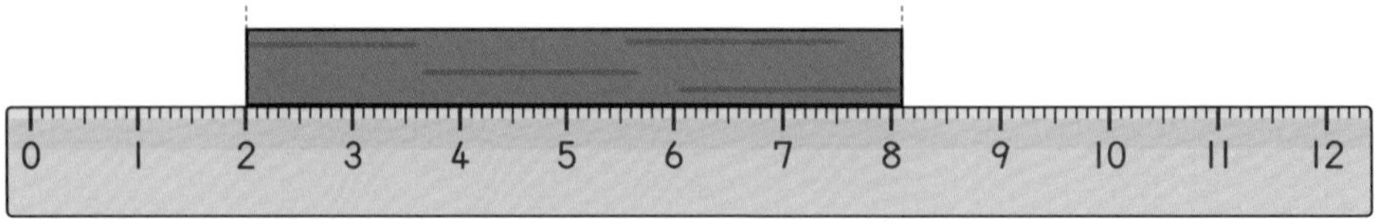

☐cm ☐mm = ☐mm

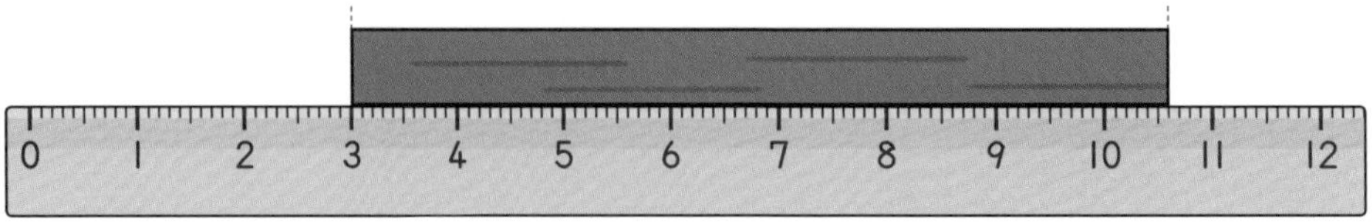

☐cm ☐mm = ☐mm

물음에 답하세요.

연필과 붓 중 길이가 더 긴 것은 무엇이고, 몇 mm일까요?

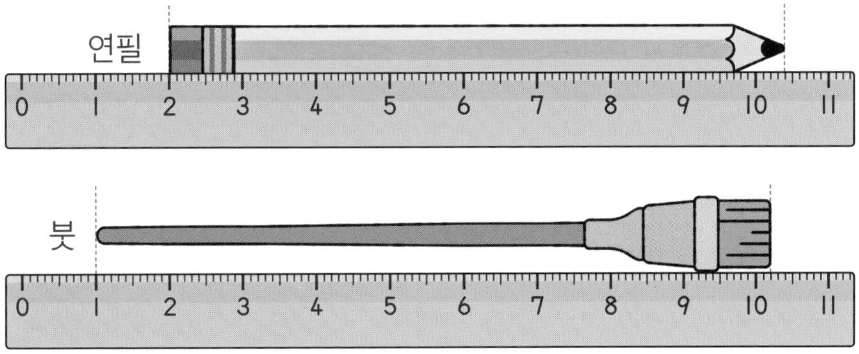

연필과 붓 중 더 긴 것은 [ ]이고, [ ]mm입니다.

가장 긴 막대는 무엇이고, 몇 cm 몇 mm일까요?

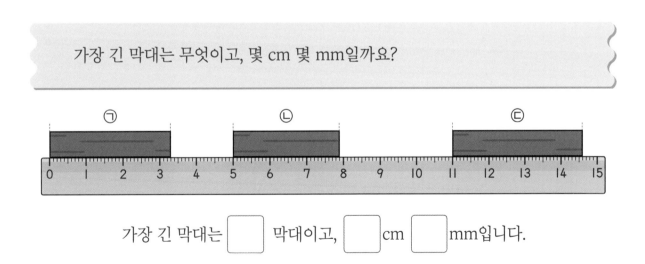

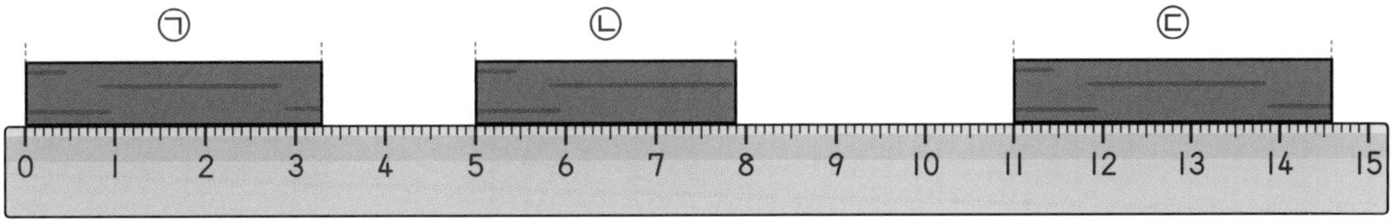

가장 긴 막대는 [ ] 막대이고, [ ]cm [ ]mm입니다.

한 뼘의 길이

윤아, 진성, 하영이의 한 뼘의 길이를 재었습니다. 한 뼘의 길이가 가장 짧은 친구부터 차례로 이름을 써 보세요.

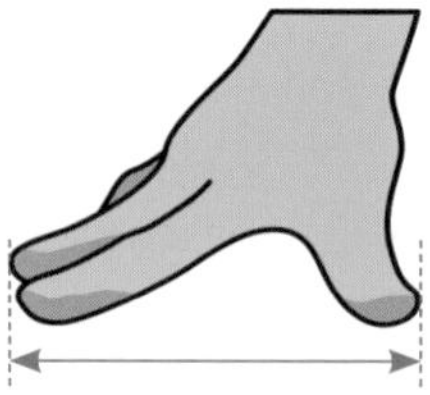

이름	뼘 길이
윤아	15 센티미터
진성	153 밀리미터
하영	14 cm 3 mm

☐ – ☐ – ☐

2 주차

킬로미터

1일차 1m보다 큰 단위

주어진 길이를 쓰고 읽어 보세요.

3 km

쓰기

읽기

5 km 300 m

쓰기

읽기

2 km 60 m

쓰기

읽기

1000 m를 1 km라 쓰고 1 킬로미터라고 읽습니다.

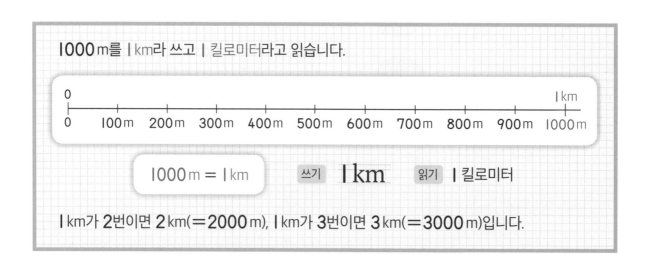

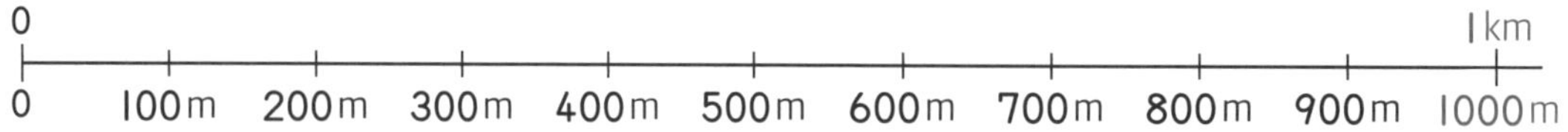

1000 m = 1 km

쓰기 1 km

읽기 1 킬로미터

1 km가 2번이면 2 km(=2000 m), 1 km가 3번이면 3 km(=3000 m)입니다.

빈칸에 알맞은 수를 써넣으세요.

1 km보다 100 m 더 긴 거리 ➡ □ km □ m

2 km보다 405 m 더 긴 거리 ➡ □ km □ m

7 km보다 80 m 더 긴 거리 ➡ □ km □ m

5 km보다 99 m 더 긴 거리 ➡ □ km □ m

4 km보다 5 m 더 긴 거리 ➡ □ km □ m

1 km보다 50 m 더 긴 것을 1 km 50 m라 쓰고 1 킬로미터 50 미터라고 읽습니다.
1 km보다 500 m 더 긴 것을 1 km 500 m라 쓰고 1 킬로미터 500 미터라고 읽습니다.

1 km 50 m = 1050 m 쓰기 1 km 50 m 읽기 1 킬로미터 50 미터

1 km 500 m = 1500 m 쓰기 1 km 500 m 읽기 1 킬로미터 500 미터

2일차 km와 m의 관계

같은 길이를 나타내는 것끼리 이어 보세요.

8 km •	• 7000 m
9000 m •	• 9 km
7 km •	• 8000 m

8 km 60 m •	• 8601 m
6 km 180 m •	• 8060 m
8 km 601 m •	• 6180 m

4035 m •	• 4 km 305 m
4305 m •	• 4 km 350 m
4350 m •	• 4 km 35 m

빈칸에 알맞은 수를 써넣으세요.

3 km = ☐ m

7000 m = ☐ km

1 km 800 m = ☐ m

6500 m = ☐ km ☐ m

6 km 200 m = ☐ m

1450 m = ☐ km ☐ m

5 km 505 m = ☐ m

3090 m = ☐ km ☐ m

9 km 80 m = ☐ m

4203 m = ☐ km ☐ m

8 km 5 m = ☐ m

1001 m = ☐ km ☐ m

4 km 37 m = ☐ m

9022 m = ☐ km ☐ m

3일차 길이 비교하기

더 긴 길이에 ○표 하세요.

3 km 205 m	3 km 900 m
2 km 100 m	1 km 200 m
1 km 100 m	900 m
2 km 380 m	1380 m

단위를 한 가지로 나타냅니다.

9120 m	7 km 900 m
8300 m	8 km 700 m
6600 m	6 km 6 m
5 km 500 m	5050 m
7 km 65 m	7605 m
2056 m	2 km 560 m

물음에 답하세요.

보라네 집으로부터의 거리입니다. 집에서 가장 먼 곳부터 차례로 써 보세요.

학교	공원	도서관
950 m	2 km 200 m	1800 m

(, ,)

높이가 가장 낮은 산부터 차례로 써 보세요.

태백산	속리산	치악산
1 km 567 m	1 km 58 m	1288 m

(, ,)

길이가 가장 긴 다리부터 차례로 써 보세요.

천사대교	서해대교	광안대교
7224 m	7310 m	7 km 420 m

(, ,)

4일차 거리 나타내기

그림을 보고 물음에 답하세요.

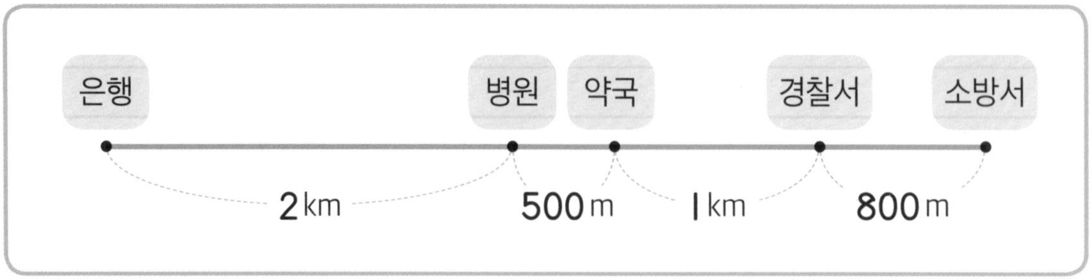

은행에서 약국까지의 거리는 몇 km 몇 m인가요?

□ km □ m

약국에서 소방서까지의 거리는 몇 m인가요?

□ m

가장 긴 거리부터 순서대로 1, 2, 3, 4를 써 보세요.

병원에서 경찰서	은행에서 병원	약국에서 소방서	은행에서 약국
□	□	□	□

그림을 보고 물음에 답하세요.

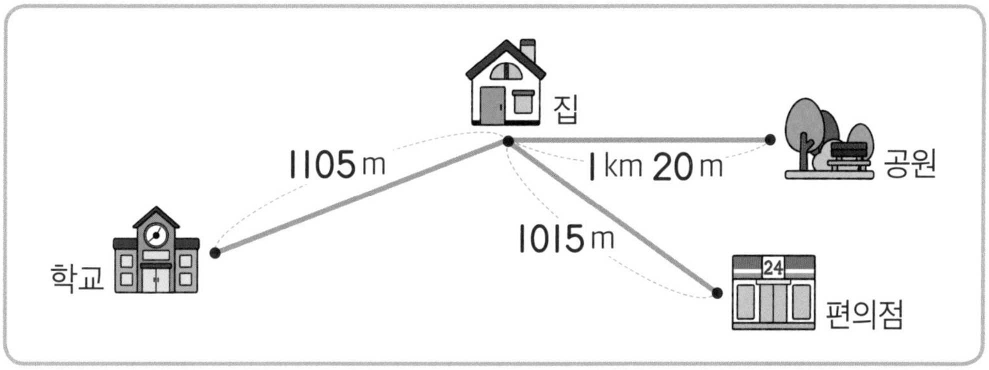

집에서 학교까지의 거리는 몇 km 몇 m인가요?

☐ km ☐ m

집에서 공원까지의 거리는 몇 m인가요?

☐ m

집에서 가장 가까운 곳부터 차례로 써 보세요.

(, ,)

5일차 수직선과 길이

그림을 보고 빈칸에 알맞은 수를 써넣으세요.

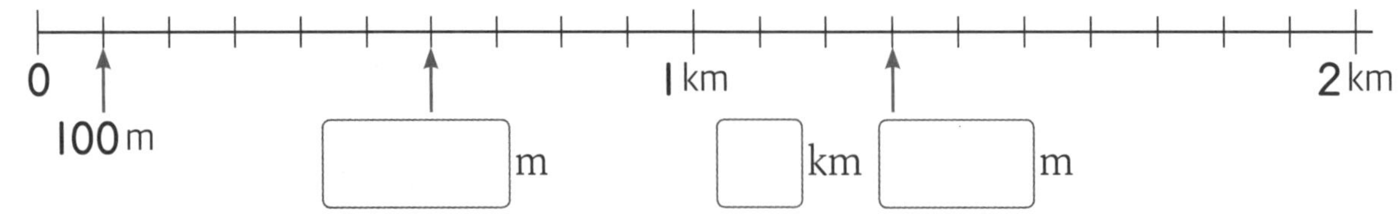

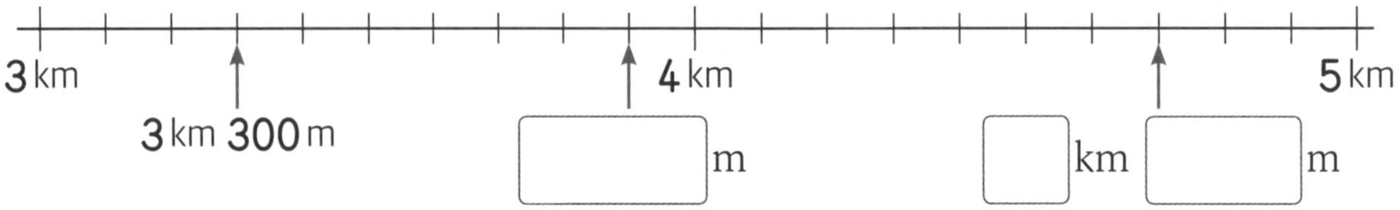

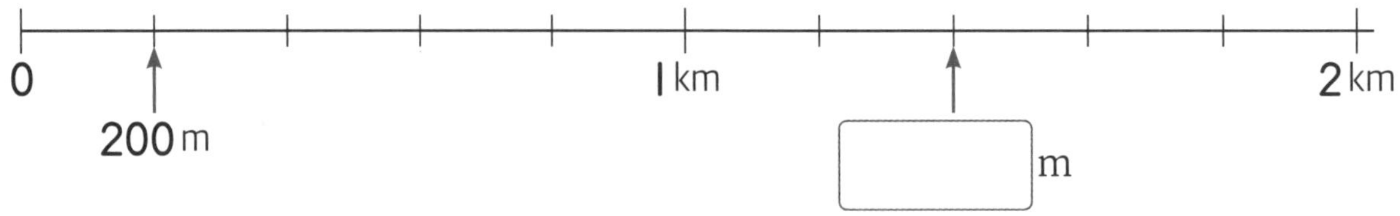

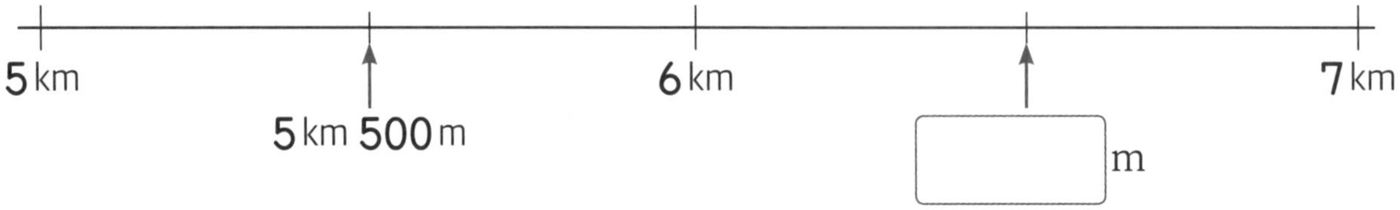

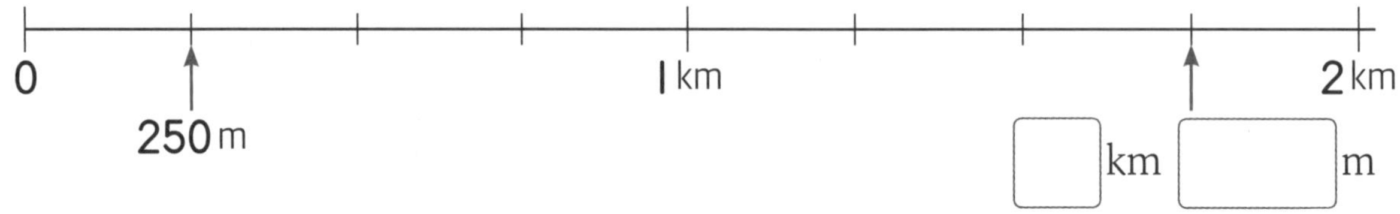

㉠에서 ㉡까지의 길이를 구해 보세요.

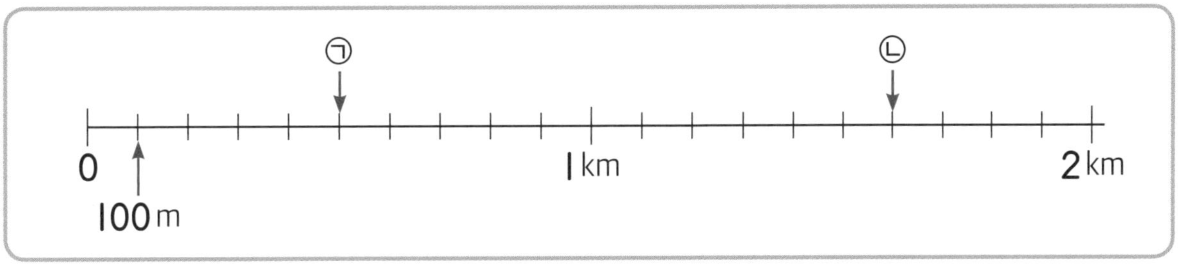

☐km ☐m

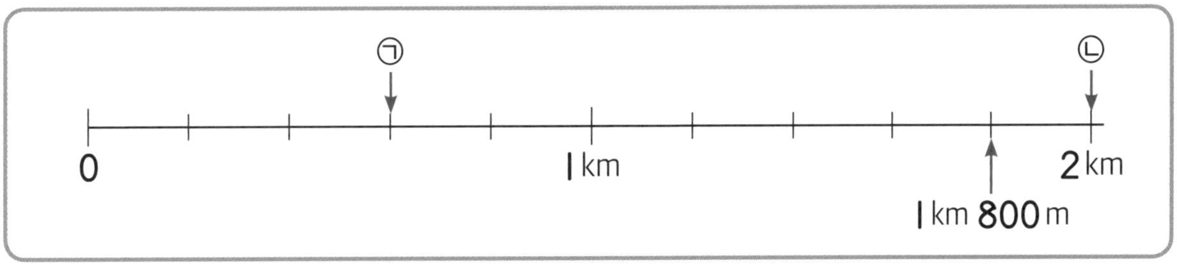

☐km ☐m

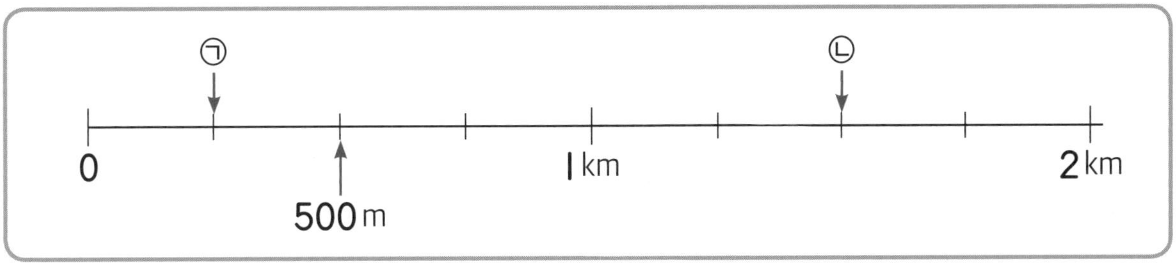

☐km ☐m

km, m, cm, mm

가장 긴 길이부터 순서대로 점을 연결하여 이어 보세요.

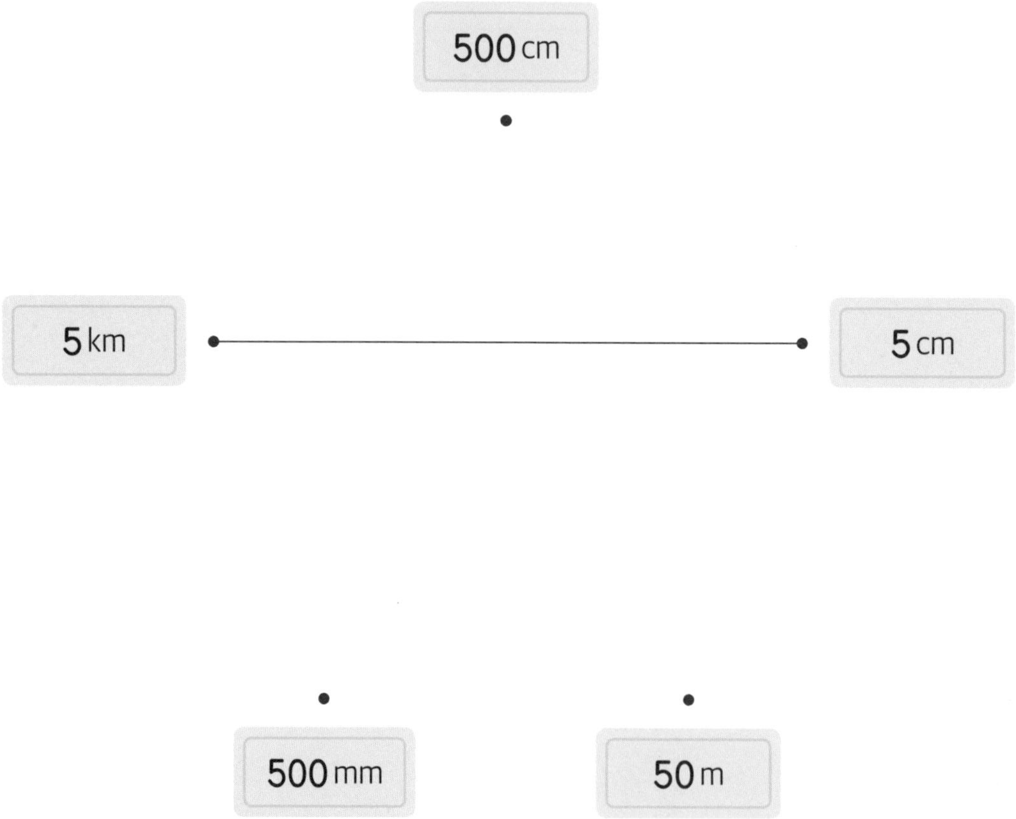

3 주차

시, 분, 초

1일차 1분보다 작은 단위

시계를 보고 빈칸에 알맞은 수를 써넣으세요.

짧은바늘은 ☐와 ☐ 사이, 긴바늘은 6을 지나고 있고,

초바늘이 ☐에서 2칸 더 간 곳을 가리키면 ☐시 ☐분 ☐초입니다.

초바늘이 **작은 눈금 한 칸**을 가는 동안 걸리는 시간을 1초라고 합니다.

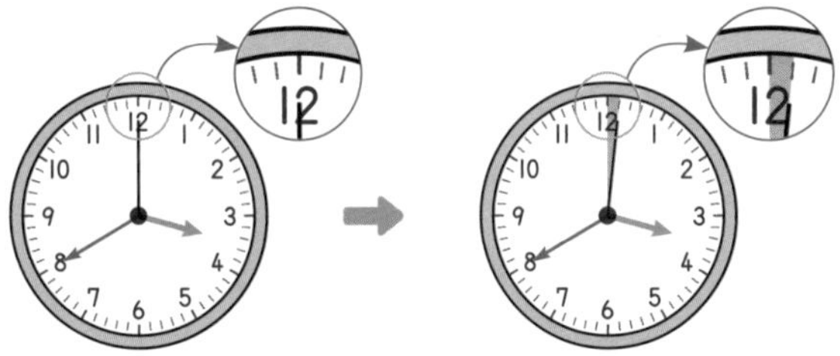

작은 눈금 한 칸 = 1초

초바늘이 시계를 **한 바퀴** 도는 데 걸리는 시간은 60초이고, 60초 동안 긴바늘은 작은 눈금 한 칸을 갑니다. 따라서 60초는 1분입니다.

60초 = 1분

시각을 바르게 읽은 것에 ◯표 하세요.

2시 25분 5초

2시 25분 1초

9시 18분 28초

9시 17분 28초

11시 3분 15초

11시 3분 16초

9시 17분 52초

9시 18분 52초

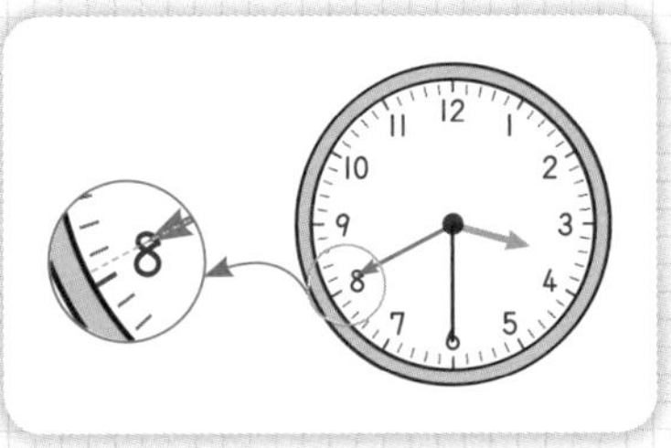

짧은바늘은 3과 4 사이, 긴바늘은 8을 지나고 있고, 초바늘이 6을 가리키고 있습니다. 이때 긴바늘은 8은 지났지만 작은 눈금 한 칸을 더 간 것은 아니므로 3시 40분 30초입니다.

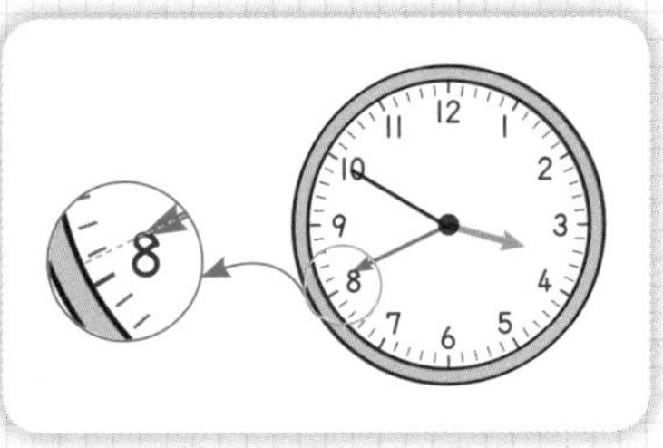

짧은바늘은 3과 4 사이, 긴바늘은 8을 지나고 있고, 초바늘이 10을 가리키고 있습니다. 이때 긴바늘은 8보다 8에서 작은 눈금 한 칸을 간 곳과 더 가깝지만 아직 41분은 되지 않았으므로 3시 40분 50초입니다.

*3시 41분 50초로 읽지 않도록 주의합니다.

2일차 시각 읽기

시각을 읽어 보세요.

□ 시 □ 분 □ 초

□ 시 □ 분 □ 초

□ 시 □ 분 □ 초

□ 시 □ 분 □ 초

□ 시 □ 분 □ 초

□ 시 □ 분 □ 초

월 일

같은 시각을 나타내는 시계끼리 이어 보세요.

5:30:42 5:42:30 8:25:15 8:13:45

10:07:29 11:28:19 10:17:31 11:20:28

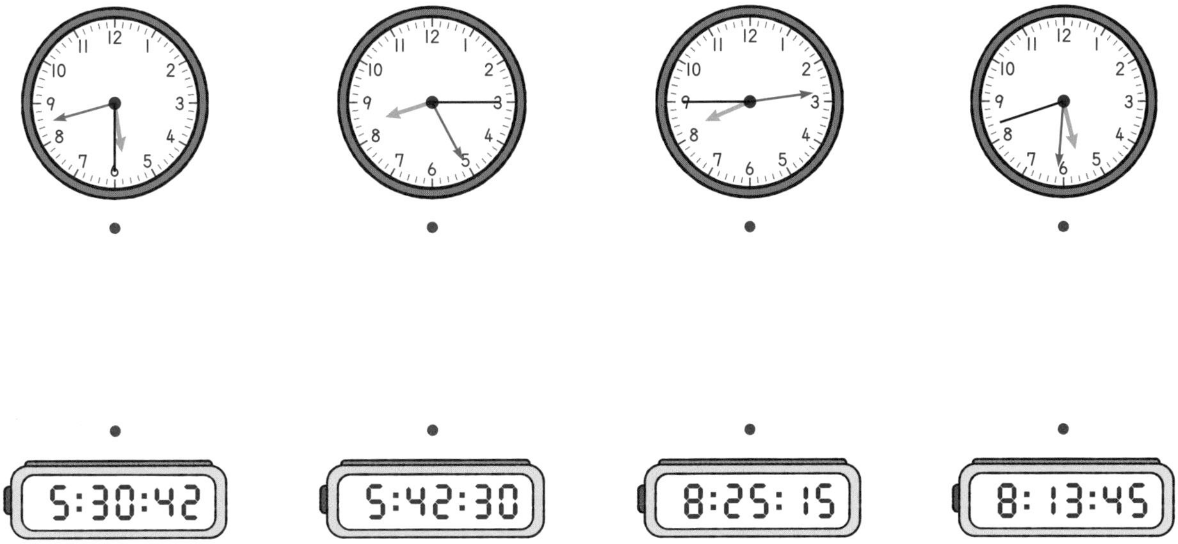

3일차 초바늘 그리기

시각에 맞게 초바늘을 그려 넣으세요.

2시 50분 5초

1시 30분 50초

7시 15분 35초

10시 10분 29초

6시 20분 8초

4시 52분 44초

1:33:15

12:09:34

9:10:56

설명에 맞게 초바늘을 그리고 시각을 써 보세요.

초바늘이 12초를 나타냅니다.

□ 시 □ 분 □ 초

초바늘이 41초를 나타냅니다.

□ 시 □ 분 □ 초

초바늘이 10을 가리킵니다.

□ 시 □ 분 □ 초

초바늘이 4에서 2칸
더 간 곳을 가리킵니다.

□ 시 □ 분 □ 초

초바늘이 12에서 3칸
더 간 곳을 가리킵니다.

□ 시 □ 분 □ 초

4일차 분과 초의 관계

같은 시간을 나타내는 것끼리 이어 보세요.

70초	1분 40초
100초	1분 10초
130초	2분 10초

60초는 1분, 120초는 2분입니다.

3분 45초	195초
3분 15초	315초
5분 15초	225초

200초	2분
175초	3분 20초
120초	2분 55초

월 일

빈칸에 알맞은 수를 써넣으세요.

60초 = ☐분

2분 = ☐초

90초 = ☐분 ☐초

1분 20초 = ☐초

145초 = ☐분 ☐초

3분 = ☐초

95초 = ☐분 ☐초

2분 40초 = ☐초

250초 = ☐분 ☐초

2분 5초 = ☐초

300초 = ☐분

4분 55초 = ☐초

205초 = ☐분 ☐초

3분 30초 = ☐초

5일차 시간 비교하기

시간이 가장 긴 것부터 차례로 기호를 써 보세요.

㉠ 70초
㉡ 1분 2초
㉢ 59초

(　　　,　　　,　　　)

㉠ 1분 57초
㉡ 120초
㉢ 2분 10초

(　　　,　　　,　　　)

㉠ 150초
㉡ 2분 45초
㉢ 129초

(　　　,　　　,　　　)

㉠ 3분 23초
㉡ 198초
㉢ 2분 54초

(　　　,　　　,　　　)

㉠ 166초
㉡ 3분 3초
㉢ 180초

(　　　,　　　,　　　)

㉠ 1분 55초
㉡ 98초
㉢ 2분 34초

(　　　,　　　,　　　)

물음에 답하세요.

친구들이 오래달리기를 했습니다. 기록이 가장 빠른 친구는 누구일까요?

수지	예준	다연	도윤
190초	2분 50초	178초	3분 2초

( )

친구들이 빵을 먹은 시간입니다. 빵을 가장 오래 먹은 친구는 누구일까요?

유준	지율	도현	수빈
5분	290초	4분 45초	305초

( )

가장 짧은 시간을 나타내는 것부터 차례로 기호를 써 보세요.

㉠ 전자레인지에 밥을 120초 동안 데웠습니다.
㉡ 양치질을 3분 5초 동안 했습니다.
㉢ 2분 27초 동안 전화 통화를 했습니다.

(, ,)

도착한 순서

하은, 수호, 서준, 재아가 학교에 도착한 시각입니다. 학교에 가장 먼저 도착한 친구부터 차례로 이름을 써 보세요.

하은

수호

서준

재아

☐ – ☐ – ☐ – ☐

4 주차

시간의 덧셈과 뺄셈

1일차 시간 더하기

빈칸에 알맞은 수를 써넣으세요.

	3 분	25 초		
+	12 분	33 초		
	□ 분	□ 초		

	4 시	45 분	10 초
+		5 분	17 초
	□ 시	□ 분	□ 초

	9 시	8 분	30 초
+	1 시간	15 분	14 초
	□ 시	□ 분	□ 초

	5 시간	16 분	
+	3 시간	30 분	25 초
	□ 시간	□ 분	□ 초

2시 20분 27초 + 19분 7초 = □시 □분 □초

6시 5분 24초 + 5시간 16분 19초 = □시 □분 □초

시간을 더할 때는 시 단위의 수끼리, 분 단위의 수끼리, 초 단위의 수끼리 더합니다.

	9 시	18 분	25 초
+		7 분	18 초
	9 시	25 분	43 초

9시 18분 25초 + 7분 18초
= 9시 25분 43초

	5 시	5 분	34 초
+	1 시간	36 분	16 초
	6 시	41 분	50 초

5시 5분 34초 + 1시간 36분 16초
= 6시 41분 50초

빈칸에 알맞은 수를 써넣으세요.

$$\begin{array}{rrrr} & 20\text{ 분} & 42\text{ 초} \\ + & 15\text{ 분} & 53\text{ 초} \\ \hline & \square\text{ 분} & \square\text{ 초} \end{array}$$

95초는 1분 35초입니다.

$$\begin{array}{rrr} & 7\text{ 시} & 55\text{ 분} \\ + & & 9\text{ 분} \\ \hline & \square\text{ 시} & \square\text{ 분} \end{array}$$

$$\begin{array}{rrrr} & 5\text{ 시} & 12\text{ 분} & 51\text{ 초} \\ + & 3\text{ 시간} & 7\text{ 분} & 35\text{ 초} \\ \hline & \square\text{ 시} & \square\text{ 분} & \square\text{ 초} \end{array}$$

$$\begin{array}{rrrr} & 1\text{ 시간} & 23\text{ 분} & 40\text{ 초} \\ + & 2\text{ 시간} & 10\text{ 분} & 20\text{ 초} \\ \hline & \square\text{ 시간} & \square\text{ 분} & \end{array}$$

3시 45분 29초 + 4분 51초 = □시 □분 □초

60초는 1분이므로 초끼리 더해서 60초가 되면 1분으로 바꿉니다.

$$\begin{array}{rrr} & 15\text{ 분} & 35\text{ 초} \\ + & 5\text{ 분} & 30\text{ 초} \\ \hline & 20\text{ 분} & 65\text{ 초} \end{array} \rightarrow \begin{array}{rrr} & \overset{1}{15}\text{ 분} & 35\text{ 초} \\ + & 5\text{ 분} & 30\text{ 초} \\ \hline & 21\text{ 분} & 5\text{ 초} \end{array}$$

60분은 1시간이므로 분끼리 더해서 60분이 되면 1시간으로 바꿉니다.

$$\begin{array}{rrr} & 4\text{ 시} & 53\text{ 분} \\ + & 2\text{ 시간} & 25\text{ 분} \\ \hline & 6\text{ 시} & 78\text{ 분} \end{array} \rightarrow \begin{array}{rrr} & \overset{1}{4}\text{ 시} & 53\text{ 분} \\ + & 2\text{ 시간} & 25\text{ 분} \\ \hline & 7\text{ 시} & 18\text{ 분} \end{array}$$

2일차 시각과 시간 구하기 (1)

시계가 나타내는 시각에서 주어진 시간 후의 시각을 구해 보세요.

45초 후 →

□ 시 □ 분 □ 초

5분 28초 후 →

□ 시 □ 분 □ 초

35분 20초 후 →

□ 시 □ 분 □ 초

1시간 15분 30초 후 →

□ 시 □ 분 □ 초

3시간 43분 55초 후 →

□ 시 □ 분 □ 초

물음에 답하세요.

선예는 40분 30초 동안 오븐에 빵을 구웠습니다. 빵을 굽기 시작한 시각이 2시 15분 5초라면 빵을 다 구운 시각은 몇 시 몇 분 몇 초일까요?

□시 □분 □초

시훈이는 4분 45초 동안 노래를 듣고 바로 이어서 5분 35초 동안 노래를 들었습니다. 시훈이가 노래를 들은 시간은 모두 몇 분 몇 초일까요?

□분 □초

마라톤 선수가 8시 50분에 출발하여 2시간 19분 23초 후에 결승선에 도착하였습니다. 이 선수가 도착한 시각은 몇 시 몇 분 몇 초일까요?

□시 □분 □초

기차가 3시 5분 38초에 서울역을 출발하여 2시간 33분 56초 후에 부산역에 도착했습니다. 부산역에 도착한 시각은 몇 시 몇 분 몇 초일까요?

□시 □분 □초

3일차 시간 빼기

빈칸에 알맞은 수를 써넣으세요.

$$\begin{array}{rrrr} & 15\text{ 분} & 28\text{ 초} \\ - & 6\text{ 분} & 12\text{ 초} \\ \hline & \square\text{ 분} & \square\text{ 초} \end{array}$$

$$\begin{array}{rrrr} & 8\text{ 시} & 36\text{ 분} & 50\text{ 초} \\ - & & 13\text{ 분} & 20\text{ 초} \\ \hline & \square\text{ 시} & \square\text{ 분} & \square\text{ 초} \end{array}$$

$$\begin{array}{rrrr} & 10\text{ 시} & 45\text{ 분} & 50\text{ 초} \\ - & 3\text{ 시간} & 21\text{ 분} & 7\text{ 초} \\ \hline & \square\text{ 시} & \square\text{ 분} & \square\text{ 초} \end{array}$$

$$\begin{array}{rrrr} & 6\text{ 시} & 55\text{ 분} & 32\text{ 초} \\ - & 1\text{ 시} & 14\text{ 분} & 24\text{ 초} \\ \hline & \square\text{ 시간} & \square\text{ 분} & \square\text{ 초} \end{array}$$

4시 35분 49초 − 10분 13초 = □시 □분 □초

3시 10분 32초 − 2시간 3분 15초 = □시 □분 □초

시간을 뺄 때는 시 단위의 수끼리, 분 단위의 수끼리, 초 단위의 수끼리 뺍니다.

$$\begin{array}{rrrr} & 5\text{ 시} & 45\text{ 분} & 55\text{ 초} \\ - & & 8\text{ 분} & 20\text{ 초} \\ \hline & 5\text{ 시} & 37\text{ 분} & 35\text{ 초} \end{array}$$

5시 45분 55초 − 8분 20초
= 5시 37분 35초

$$\begin{array}{rrrr} & 7\text{ 시} & 30\text{ 분} & 29\text{ 초} \\ - & 3\text{ 시간} & 15\text{ 분} & 6\text{ 초} \\ \hline & 4\text{ 시} & 15\text{ 분} & 23\text{ 초} \end{array}$$

7시 30분 29초 + 3시간 15분 6초
= 4시 15분 23초

빈칸에 알맞은 수를 써넣으세요.

35 분 13 초
− 11 분 41 초
□ 분 □ 초

35분 13초에서 60초를 받아내림하면 34분 73초가 됩니다.

3 시
− 40 분
□ 시 □ 분

6 시 18 분 32 초
− 1 시간 25 분 3 초
□ 시 □ 분 □ 초

2 시간 29 분 20 초
− 2 시간 14 분 56 초
□ 분 □ 초

4시 25분 − 5분 45초 = □ 시 □ 분 □ 초

초끼리 뺄 수 없으면 1분을 60초로 바꿉니다.(60초를 받아내림 하여 65초에서 10초를 뺍니다.)

35 분 5 초
− 11 분 10 초

➡

34 60
~~35~~ 분 5 초
− 11 분 10 초
23 분 55 초

분끼리 뺄 수 없으면 1시간을 60분으로 바꿉니다. (60분을 받아내림 하여 85분에서 38분을 뺍니다.)

8 시 25 분
− 3 시간 38 분
시 분

➡

7 60
~~8~~ 시 25 분
− 3 시간 38 분
4 시 47 분

4일차 시각과 시간 구하기 (2)

시작한 시각과 끝난 시각을 보고 걸린 시간을 구해 보세요.

책을 읽기 시작한 시각

책 읽기를 끝낸 시각

책을 읽는 데 걸린 시간

☐분 ☐초

축구를 시작한 시각

축구를 끝낸 시각

축구를 하는 데 걸린 시간

☐시간 ☐분 ☐초

체험을 시작한 시각

체험을 끝낸 시각

체험을 하는 데 걸린 시간

☐시간 ☐분 ☐초

■ 물음에 답하세요.

지용이는 숙제를 하는 데 35분 25초 걸렸고 준하는 29분 10초 걸렸습니다. 지용이는 준하보다 몇 분 몇 초 더 걸렸나요?

☐분 ☐초

재원이가 45분 동안 운동을 하고 시계를 보았더니 5시 15분이었습니다. 재원이가 운동을 시작한 시각은 몇 시 몇 분이었을까요?

☐시 ☐분

정후는 15분 30초 동안 걸어서 공원에 도착했습니다. 공원에 도착한 시각이 12시 36분 10초라면 출발한 시각은 몇 시 몇 분 몇 초였을까요?

☐시 ☐분 ☐초

서율이는 1시 50분 15초부터 4시 15분 30초까지 영화를 보았습니다. 서율이가 영화를 본 시간은 몇 시간 몇 분 몇 초일까요?

☐시간 ☐분 ☐초

5일차 시간의 합과 차

놀이공원에 있는 놀이기구의 운행 시간입니다. 물음에 답하세요.

회전목마	바이킹	범퍼카	우주열차
3분 15초	3분 30초	2분 25초	2분 10초

범퍼카와 우주열차의 운행 시간을 더하면 얼마인가요?

□분 □초

회전목마는 범퍼카보다 얼마나 더 오래 운행하나요?

□초

가장 오래 운행하는 놀이기구는 가장 짧게 운행하는 놀이기구보다 얼마나 더 오래 운행하나요?

□분 □초

3분에 가장 가깝게 운행하는 놀이기구는 무엇인가요?

(　　　　　　)

영화가 시작한 시각과 끝난 시각입니다. 물음에 답하세요.

영화	시간 탐험대	탐정 우디
시작한 시각	2시 10분 20초	4시 10분 30초
상영 시간	1시간 42분	2시간 5분 30초

시간 탐험대가 끝나는 시각은 언제인가요?

☐시 ☐분 ☐초

탐정 우디가 끝나는 시각은 언제인가요?

☐시 ☐분

탐정 우디는 시간 탐험대보다 얼마나 더 오래 상영하나요?

☐분 ☐초

시간 탐험대가 끝나고 탐정 우디를 보려면 얼마나 기다려야 하나요?

☐분 ☐초

해가 떠 있는 시간

어느 겨울날 오전 7시 23분 10초에 해가 떠서 오후 5시 14분 50초에 해가 졌습니다. 이 날 해가 떠 있는 시간은 몇 시간 몇 분 몇 초일까요?

해가 뜬 시각	오전 7시 23분 10초
해가 진 시각	오후 5시 14분 50초

□시간 □분 □초

오후 1시는 13시라고도 해.
오후 5시는 몇 시와 같을까?

••• 링크 어림하기

LINK 1 길이의 단위

설명에 맞는 것에 모두 ◯표 하세요.

100 mm보다 긴 것

공깃돌의 길이	호수 한 바퀴의 길이	한 팔의 길이
개미의 길이	칠판 짧은 쪽의 길이	엄지손가락의 길이

10 mm보다 짧은 것

물컵의 높이	휴대 전화 짧은 쪽의 길이	쌀 한 톨의 길이
10원짜리 동전의 두께	의자의 높이	바늘의 길이

1000 m보다 긴 것

한강의 길이	서울에서 부산까지의 거리	10층 건물의 높이
기차 한 량의 길이	축구장 긴 쪽의 길이	백두산의 높이

길이 단위를 바르게 사용한 말에 ◯표, 잘못 사용한 말에 ╳표 하세요.

건물 한 층의 높이는 약 3 m입니다. ( )

교과특강 책 긴 쪽의 길이는 약 27 mm입니다. ( )

줄넘기의 길이는 약 200 cm입니다. ( )

한라산의 높이는 약 2 km입니다. ( )

내 신발의 길이는 약 20 mm입니다. ( )

한 뼘의 길이는 약 150 cm입니다. ( )

한 걸음의 길이는 약 50 cm입니다. ( )

LINK 2 단위 고르기

가장 적절한 단위를 골라 빈칸에 써넣으세요.

mm	cm	m	km

내 발의 길이는 약 220 ☐ 입니다.

서울에서 대구까지의 거리는 약 290 ☐ 입니다.

내 키는 약 145 ☐ 입니다.

버스의 길이는 약 9 ☐ 입니다.

시간	분	초

아침을 먹는 데 걸리는 시간은 20 ☐ 입니다.

횡단보도를 건너는 데 걸리는 시간은 30 ☐ 입니다.

등산을 하는 데 걸리는 시간은 3 ☐ 입니다.

노래 한 곡을 듣는 데 걸리는 시간은 4 ☐ 입니다.

가장 적절한 말을 골라 빈칸에 써넣으세요.

20 mm	200 m	120 cm	220 km

서울에서 강릉까지의 거리는 약 [   ]입니다.

강낭콩의 길이는 약 [   ]입니다.

책장의 가로 길이는 약 [   ]입니다.

학교 운동장 한 바퀴의 길이는 약 [   ]입니다.

5분	15초	5시간	50분

물 한 잔을 마시는 데 걸리는 시간은 [   ]입니다.

4교시가 끝난 후 점심 시간은 [   ]입니다.

서울에서 부산까지 버스를 타고 가는 데 걸리는 시간은 [   ]입니다.

라면을 끓이는 데 걸리는 시간은 [   ]입니다.

LINK 3 거리 어림하기

그림을 보고 빈칸에 알맞은 수를 써넣으세요.

수지네 집에서 공원까지의 거리는 약 □ km입니다.

우주네 집에서 시청까지의 거리는 약 □ m입니다.

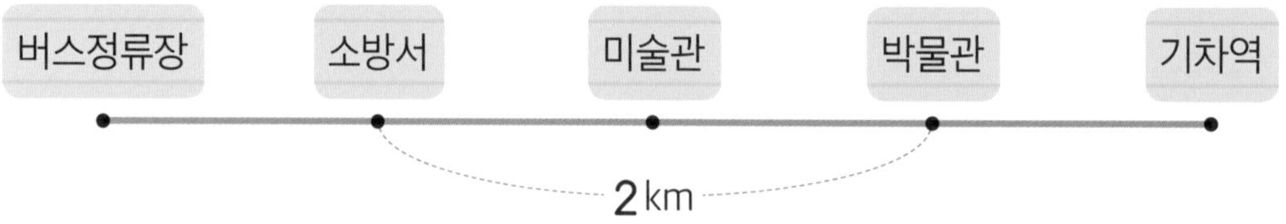

박물관에서 기차역까지의 거리는 약 □ km입니다.

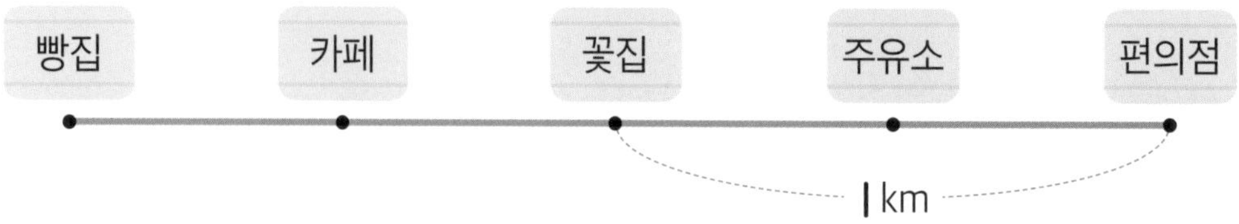

빵집에서 편의점까지의 거리는 약 □ m입니다.

그림을 보고 물음에 답하세요.

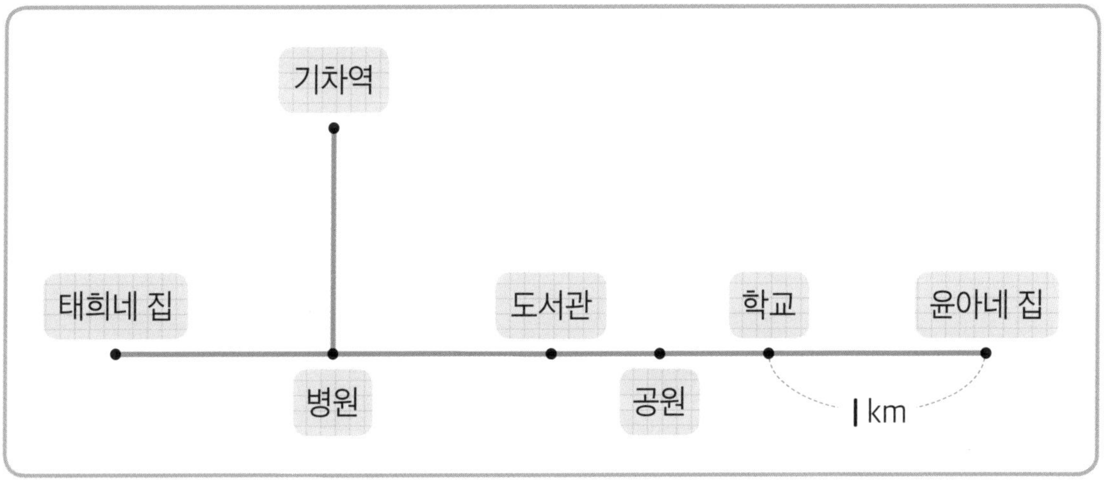

태희네 집에서 학교까지 가는 거리는 약 몇 km인가요?

( )km

기차역에서 병원을 지나 공원까지 가는 거리는 약 몇 m인가요?

( )m

병원에서 약 2km 떨어진 곳에 있는 장소를 써 보세요.

( )

memo

형성평가

형성평가 1회

1 길이가 같은 것끼리 이어 보세요.

12 mm •	• 120 mm
2 cm 1 mm •	• 1 cm 2 mm
12 cm •	• 21 mm

2 길이를 잘못 나타낸 문장의 기호를 모두 써 보세요.

㉠ 5000 m는 5 km입니다.
㉡ 3 km 3 m는 3300 m입니다.
㉢ 1050 m는 1 km 500 m입니다.
㉣ 8 km 120 m는 8120 m입니다.

(,)

3 물건의 길이를 재었습니다. 길이가 가장 긴 물건부터 차례로 써 보세요.

물건	포크	연필	칫솔
길이	13 cm 5 mm	98 mm	16 cm 3 mm

(, ,)

4 시각을 읽어 보세요.

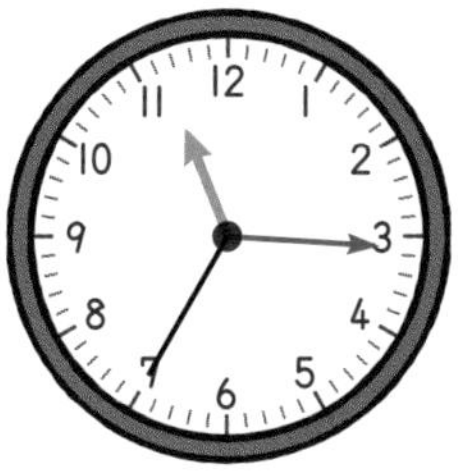

☐ 시 ☐ 분 ☐ 초

☐ 시 ☐ 분 ☐ 초

5 인규는 신호를 3분 42초 동안 기다렸고 시후는 218초 동안 기다렸습니다. 신호를 더 오래 기다린 친구는 누구일까요?

(　　　　　　)

6 재한이는 1시간 40분 30초 동안 피아노 연습을 했습니다. 재한이가 연습을 시작한 시각이 다음과 같다면 연습을 끝낸 시각은 몇 시 몇 분 몇 초일까요?

시작한 시각

☐ 시 ☐ 분 ☐ 초

형성평가 2회

1 다리의 길이를 나타내어 보세요.

다리	원효대교	양화대교
길이	1470 m	1 km 53 m

원효대교: □ km □ m

양화대교: □ m

2 막대의 길이를 바르게 잰 것에 ○표 하세요.

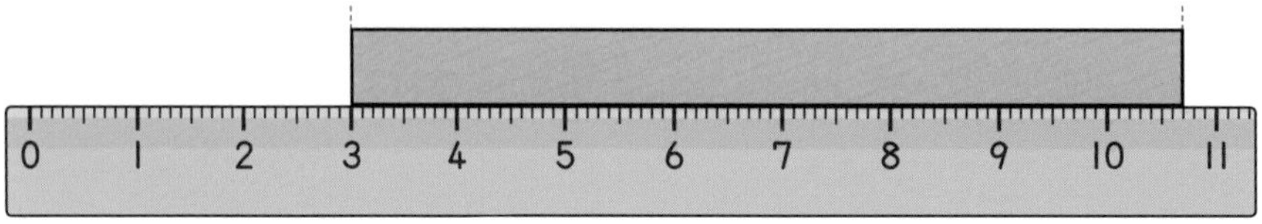

10 cm 7 mm	87 mm	7 cm 7 mm
(　　)	(　　)	(　　)

3 길이가 가장 짧은 것부터 차례로 기호를 써 보세요.

㉠ 1200 m　　㉡ 300 mm　　㉢ 3 km　　㉣ 5 cm

(　　,　　,　　,　　)

4 1초 동안 할 수 있는 일의 기호를 모두 써 보세요.

㉠ 눈 한 번 깜박이기	㉡ 종이배 한 개 접기
㉢ 100 m 달리기	㉣ 손뼉 한 번 치기

(　　　　,　　　　)

※ 1모둠과 2모둠이 이어달리기를 한 기록입니다. 물음에 답하세요. (**5~6**)

모둠	1모둠		2모둠	
모둠 학생별 기록	서현: 1분 2초	준성: 55초	재아: 1분 8초	시원: 57초
모둠 기록	1분 57초		?	

5 2모둠의 모둠 기록은 몇 분 몇 초일까요?

□분 □초

6 1모둠과 2모둠 중 어느 모둠의 기록이 몇 초 더 빨랐을까요?

□모둠이 □초 더 빨랐습니다.

memo

초등 수학 핵심파트 집중 완성

교과특강

초3

C1

길이와 시간

정답

사고력
문제해결력

측정 · 규칙성
자료와 가능성

에듀히어로
Edu HERO

정답

C1

길이와 시간

정답

1주차: 밀리미터

8쪽 • 9쪽

1일차 1cm보다 작은 단위

■ 주어진 길이를 쓰고 읽어 보세요.

4 mm

쓰기 4 mm 읽기 4 밀리미터

5 cm 1 mm

쓰기 5 cm 1 mm 읽기 5 센티미터 1 밀리미터

27 mm

쓰기 27 mm 읽기 27 밀리미터

1 cm(▭)를 똑같이 10칸으로 나누었을 때(▭) 작은 눈금 한 칸의 길이(•)를 1 mm라 쓰고 1 밀리미터라고 읽습니다.

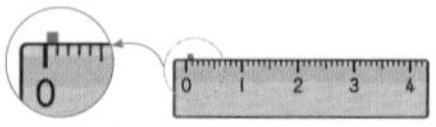

쓰기 1 mm 읽기 1 밀리미터

1 cm = 10 mm

1 mm가 2개이면 2 mm입니다.
1 mm가 10개이면 10 mm(=1 cm)입니다.

월 일

■ 0부터 시작하여 선을 따라 주어진 길이만큼 선을 그어 보세요.

8 mm

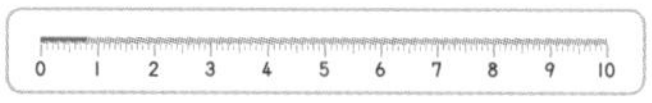

6 cm 4 mm

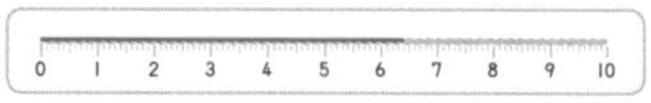

42 mm

8 cm 7 mm

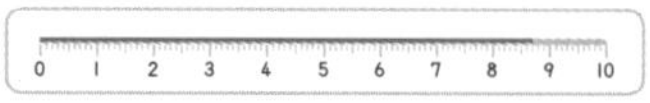

막대의 길이는 3 cm보다 길고 4 cm보다 짧습니다.
3 cm보다 6 mm 더 긴 것을 3 cm 6 mm라 쓰고 3 센티미터 6 밀리미터라고 읽습니다.
3 cm 6 mm는 36 mm입니다.

3 cm 6 mm = 36 mm

쓰기 3 cm 6 mm 읽기 3 센티미터 6 밀리미터

쓰기 36 mm 읽기 36 밀리미터

10쪽 • 11쪽

2일차 길이 나타내기

■ 색연필의 길이를 써 보세요.

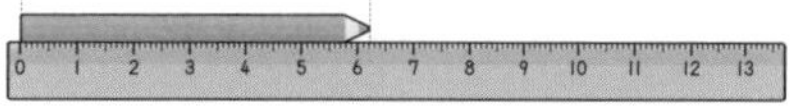

6 cm 2 mm = 62 mm

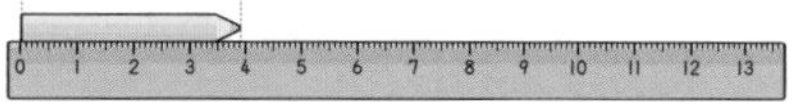

3 cm 9 mm = 39 mm

9 cm 4 mm = 94 mm

11 cm 5 mm = 115 mm

월 일

■ 막대의 길이를 바르게 나타낸 것에 ◯표 하세요.

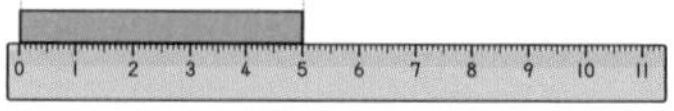

50 cm
(50 mm)

7 cm 6 mm
(71 mm)

(28 mm)
3 cm 8 mm

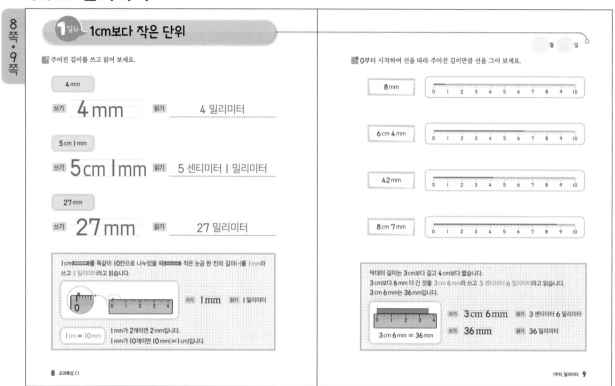

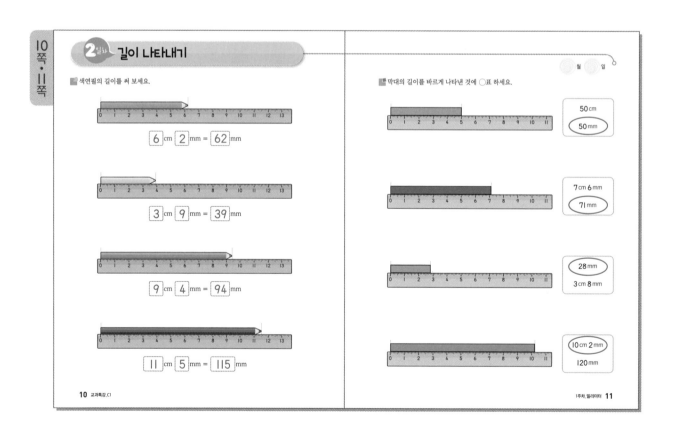

(10 cm 2 mm)
120 mm

12쪽 · 13쪽

3일차 자로 길이 재기

자를 이용하여 막대의 길이를 재어 보세요.

65 mm

5 cm 1 mm

27 mm

7 cm 9 mm

113 mm

6 cm 2 mm

83 mm

자를 이용하여 길이가 같은 선분 2개를 찾아 각각 기호를 써 보세요.

㉠ 24mm ㉡ 24mm ㉢ 18mm ㉣ 35mm

(㉠ , ㉡)

㉠ 40mm ㉡ 46mm ㉢ 46mm ㉣ 37mm

(㉡ , ㉢)

㉠ 53mm ㉡ 60mm ㉢ 64mm ㉣ 53mm

(㉠ , ㉣)

14쪽 · 15쪽

4일차 cm와 mm의 관계

빈칸에 알맞은 수를 써넣으세요.

2 cm = 20 mm

46 mm = 4 cm 6 mm
40mm와 6mm

5 cm 9 mm = 59 mm
50mm와 9mm

60 mm = 6 cm

9 cm 2 mm = 92 mm
90mm와 2mm

71 mm = 7 cm 1 mm
70mm와 1mm

8 cm 7 mm = 87 mm
80mm와 7mm

98 mm = 9 cm 8 mm
90mm와 8mm

10 cm = 100 mm

110 mm = 11 cm

10 cm 6 mm = 106 mm
100mm와 6mm

103 mm = 10 cm 3 mm
100mm와 3mm

13 cm 5 mm = 135 mm
130mm와 5mm

124 mm = 12 cm 4 mm
120mm와 4mm

길이가 가장 긴 것부터 차례로 기호를 써 보세요.

㉠ 1 cm 5 mm — 15mm
㉡ 28 mm — 28mm
㉢ 2 cm 5 mm — 25mm

(㉡ , ㉢ , ㉠)

단위를 한 가지로 나타냅니다.

㉠ 5 mm — 5mm
㉡ 4 cm — 40mm
㉢ 50 mm — 50mm

(㉢ , ㉡ , ㉠)

㉠ 3 cm 4 mm — 34mm
㉡ 3 cm — 30mm
㉢ 40 mm — 40mm

(㉢ , ㉠ , ㉡)

㉠ 7 cm 6 mm — 76mm
㉡ 6 cm — 60mm
㉢ 65 mm — 65mm

(㉠ , ㉢ , ㉡)

㉠ 97 mm — 97mm
㉡ 10 cm 2 mm — 102mm
㉢ 9 cm 5 mm — 95mm

(㉡ , ㉠ , ㉢)

㉠ 120 mm — 120mm
㉡ 10 cm — 100mm
㉢ 11 cm 9 mm — 119mm

(㉠ , ㉢ , ㉡)

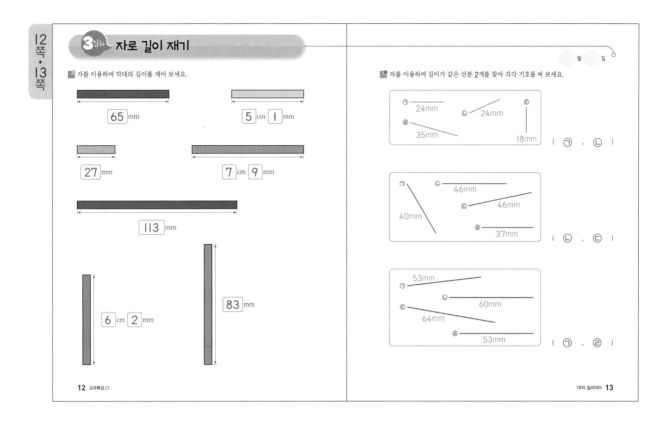

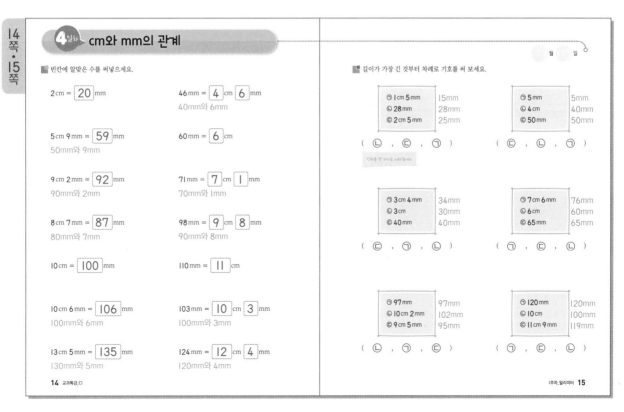

정답

16쪽·17쪽

5일차 눈금 세어 길이 재기

월 일

나무 막대의 길이를 써 보세요.

3 cm 2 mm = 32 mm

큰 눈금과 작은 눈금이 몇 칸인지 세어 봅니다.

큰 눈금 3칸과 작은 눈금 2칸이므로 3cm 2mm입니다.

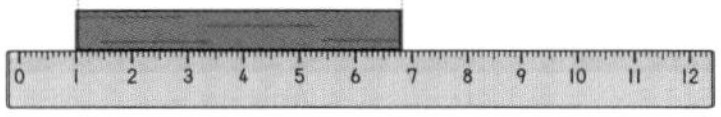

5 cm 8 mm = 58 mm

큰 눈금 5칸과 작은 눈금 8칸이므로 5cm 8mm입니다.

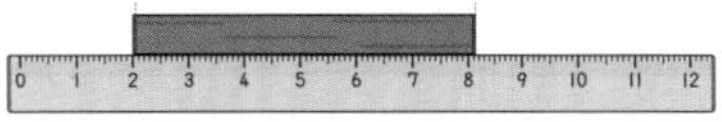

6 cm 1 mm = 61 mm

큰 눈금 6칸과 작은 눈금 1칸이므로 6cm 1mm입니다.

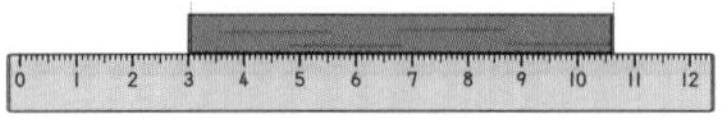

7 cm 6 mm = 76 mm

큰 눈금 7칸과 작은 눈금 6칸이므로 7cm 6mm입니다.

16 교과특강_C1

물음에 답하세요.

연필과 붓 중 길이가 더 긴 것은 무엇이고, 몇 mm일까요?

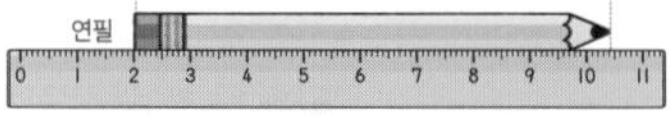

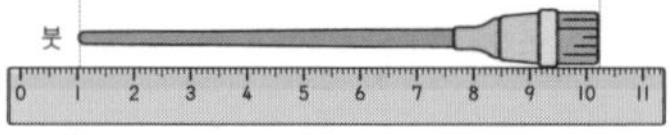

연필과 붓 중 더 긴 것은 붓 이고, 92 mm입니다.

연필: 큰 눈금 8칸과 작은 눈금 4칸 → 84mm
붓: 큰 눈금 9칸과 작은 눈금 2칸 → 92mm

가장 긴 막대는 무엇이고, 몇 cm 몇 mm일까요?

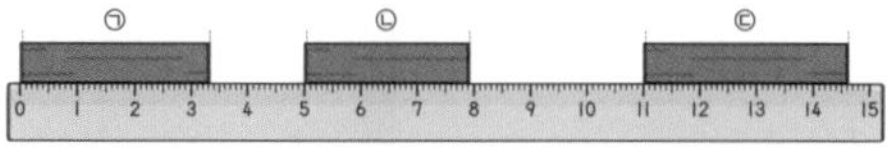

가장 긴 막대는 ㉢ 막대이고, 3 cm 6 mm입니다.

㉠: 큰 눈금 3칸과 작은 눈금 3칸 → 3cm 3mm
㉡: 큰 눈금 2칸과 작은 눈금 9칸 → 2cm 9mm
㉢: 큰 눈금 3칸과 작은 눈금 6칸 → 3cm 6mm

1주차_밀리미터 17

18쪽

생각 더하기

한 뼘의 길이

윤아, 진성, 하영이의 한 뼘의 길이를 재었습니다. 한 뼘의 길이가 가장 짧은 친구부터 차례로 이름을 써 보세요.

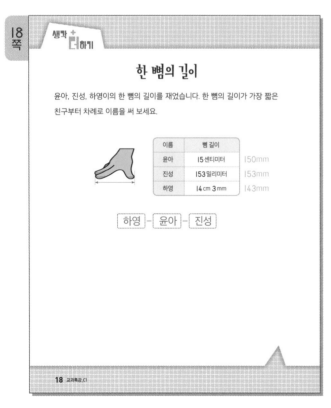

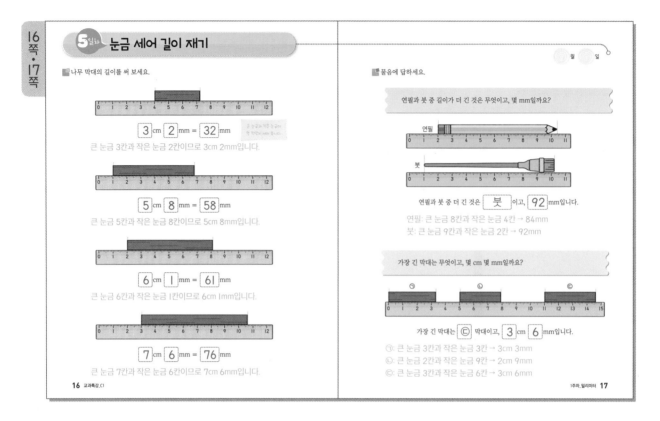

이름	뼘 길이	
윤아	15 센티미터	150mm
진성	153 밀리미터	153mm
하영	14 cm 3 mm	143mm

하영 - 윤아 - 진성

18 교과특강_C1

2주차: 킬로미터

20쪽·21쪽

1일차 1m보다 큰 단위

주어진 길이를 쓰고 읽어 보세요.

3 km

쓰기 3 km 읽기 3 킬로미터

5 km 300 m

쓰기 5 km 300 m 읽기 5 킬로미터 300 미터

2 km 60 m

쓰기 2 km 60 m 읽기 2 킬로미터 60 미터

1000 m를 1 km라 쓰고 1 킬로미터라고 읽습니다.

0 100 m 200 m 300 m 400 m 500 m 600 m 700 m 800 m 900 m 1000 m (1 km)

1000 m = 1 km 쓰기 1 km 읽기 1 킬로미터

1 km가 2번이면 2 km(=2000 m), 1 km가 3번이면 3 km(=3000 m)입니다.

빈칸에 알맞은 수를 써넣으세요.

1 km보다 100 m 더 긴 거리 ➡ 1 km 100 m

2 km보다 405 m 더 긴 거리 ➡ 2 km 405 m

7 km보다 80 m 더 긴 거리 ➡ 7 km 80 m

5 km보다 99 m 더 긴 거리 ➡ 5 km 99 m

4 km보다 5 m 더 긴 거리 ➡ 4 km 5 m

1 km보다 50 m 더 긴 것을 1 km 50 m라 쓰고 1 킬로미터 50 미터라고 읽습니다.
1 km보다 500 m 더 긴 것을 1 km 500 m라 쓰고 1 킬로미터 500 미터라고 읽습니다.

1 km 50 m = 1050 m 쓰기 1 km 50 m 읽기 1 킬로미터 50 미터

1 km 500 m = 1500 m 쓰기 1 km 500 m 읽기 1 킬로미터 500 미터

22쪽·23쪽

2일차 km와 m의 관계

같은 길이를 나타내는 것끼리 이어 보세요.

8 km	7000 m
9000 m	9 km
7 km	8000 m

8 km 60 m	8601 m
6 km 180 m	8060 m
8 km 601 m	6180 m

4035 m	4 km 305 m
4305 m	4 km 350 m
4350 m	4 km 35 m

빈칸에 알맞은 수를 써넣으세요.

3 km = 3000 m

7000 m = 7 km

1 km 800 m = 1800 m
1000m와 800m

6500 m = 6 km 500 m
6000m와 500m

6 km 200 m = 6200 m
6000m와 200m

1450 m = 1 km 450 m
1000m와 450m

5 km 505 m = 5505 m
5000m와 505m

3090 m = 3 km 90 m
3000m와 90m

9 km 80 m = 9080 m
9000m와 80m

4203 m = 4 km 203 m
4000m와 203m

8 km 5 m = 8005 m
8000m와 5m

1001 m = 1 km 1 m
1000m와 1m

4 km 37 m = 4037 m
4000m와 37m

9022 m = 9 km 22 m
9000m와 22m

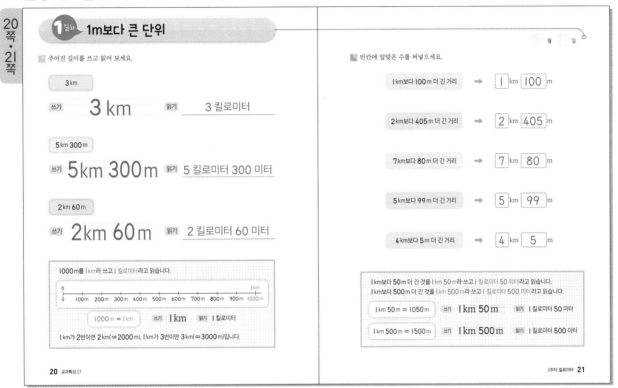

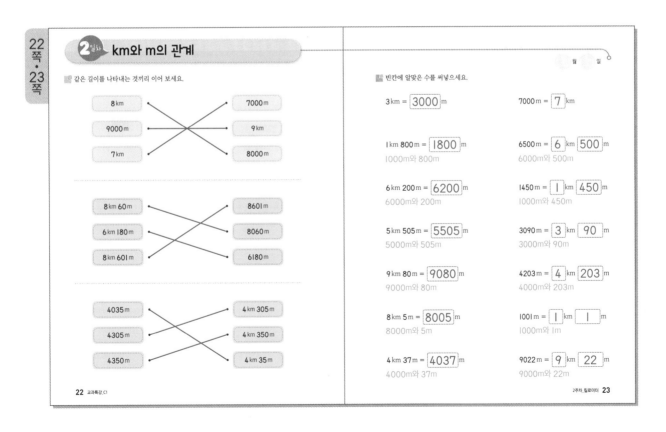

정답

24쪽 · 25쪽

3일차 길이 비교하기

더 긴 길이에 ○표 하세요.

3 km 205 m / (3 km 900 m) ○	(2 km 100 m) ○ / 1 km 200 m
(1 km 100 m) ○ / 900 m — 1100m	(2 km 380 m) ○ / 1380 m — 2380m
(9120 m) ○ / 7 km 900 m — 7900m	8300 m / (8 km 700 m) ○ — 8700m
(6600 m) ○ / 6 km 6 m — 6006m	(5 km 500 m) ○ / 5050 m — 5500m
7 km 65 m / (7605 m) ○ — 7065m	2056 m / (2 km 560 m) ○ — 2560m

물음에 답하세요.

보라네 집으로부터의 거리입니다. 집에서 가장 먼 곳부터 차례로 써 보세요.

학교	공원	도서관
950 m	2 km 200 m (2200m)	1800 m

(공원 , 도서관 , 학교)

높이가 가장 낮은 산부터 차례로 써 보세요.

태백산	속리산	치악산
1 km 567 m (1567m)	1 km 58 m (1058m)	1288 m

(속리산 , 치악산 , 태백산)

길이가 가장 긴 다리부터 차례로 써 보세요.

천사대교	서해대교	광안대교
7224 m	7310 m	7 km 420 m (7420m)

(광안대교 , 서해대교 , 천사대교)

26쪽 · 27쪽

4일차 거리 나타내기

그림을 보고 물음에 답하세요.

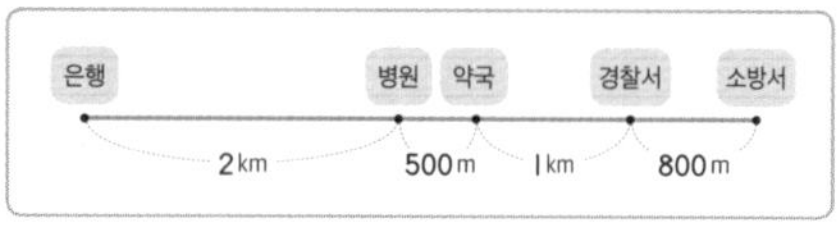

은행에서 약국까지의 거리는 몇 km 몇 m인가요?

2km에서 500m 더 간 거리입니다.

2 km 500 m

약국에서 소방서까지의 거리는 몇 m인가요?

1km에서 800m 더 간 거리입니다.

1800 m

가장 긴 거리부터 순서대로 1, 2, 3, 4를 써 보세요.

병원에서 경찰서	은행에서 병원	약국에서 소방서	은행에서 약국
4	2	3	1
1500m	2000m	1800m	2500m

그림을 보고 물음에 답하세요.

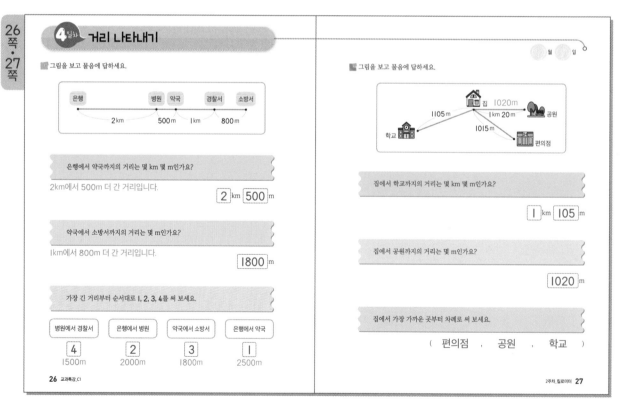

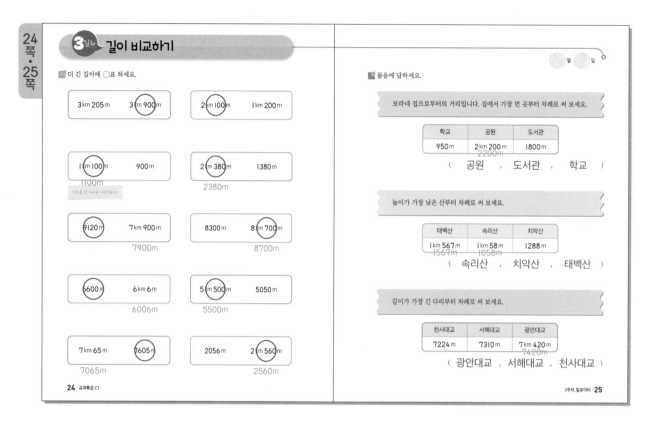

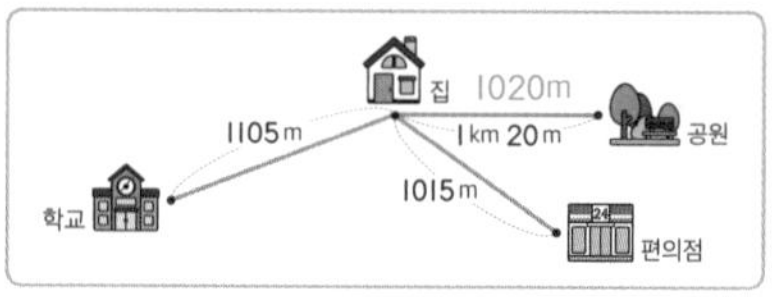

집에서 학교까지의 거리는 몇 km 몇 m인가요?

1 km 105 m

집에서 공원까지의 거리는 몇 m인가요?

1020 m

집에서 가장 가까운 곳부터 차례로 써 보세요.

(편의점 , 공원 , 학교)

28쪽·29쪽

5일차 수직선과 길이

그림을 보고 빈칸에 알맞은 수를 써넣으세요.

0, 100m, 1km, 2km — 600 m, 1 km 300 m
1칸은 100m입니다.

3km, 3km 300m, 4km, 5km — 3900 m, 4 km 700 m
1칸은 100m입니다.

0, 200m, 1km, 2km — 1400 m
1칸은 200m입니다.

5km, 5km 500m, 6km, 7km — 6500 m
1칸은 500m입니다.

0, 250m, 1km, 2km — 1 km 750 m
1칸은 250m입니다.

월 일

㉠에서 ㉡까지의 길이를 구해 보세요.

㉠, ㉡ — 0, 100m, 1km, 2km
1칸은 100m, 10칸은 1km입니다.
㉠에서 ㉡까지 11칸이므로 1km 100m입니다. — 1 km 100 m

㉠, ㉡ — 0, 1km, 1km 800m, 2km
1칸은 200m, 5칸은 1km입니다.
㉠에서 ㉡까지 7칸이므로 1km 400m입니다. — 1 km 400 m

㉠, ㉡ — 0, 500m, 1km, 2km
1칸은 250m, 4칸은 1km입니다.
㉠에서 ㉡까지 5칸이므로 1km 250m입니다. — 1 km 250 m

30쪽

생각 더하기

km, m, cm, mm

가장 긴 길이부터 순서대로 점을 연결하여 이어 보세요.

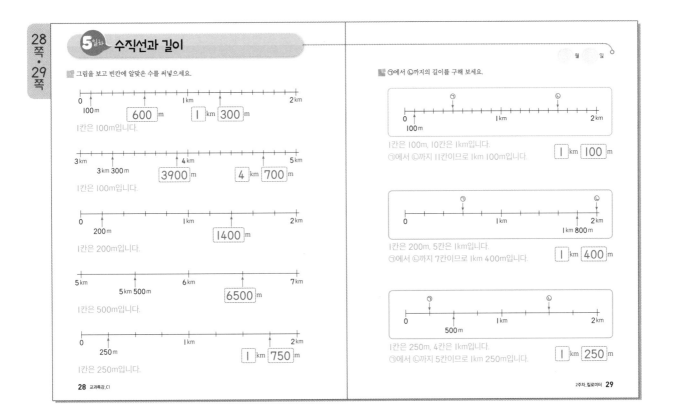

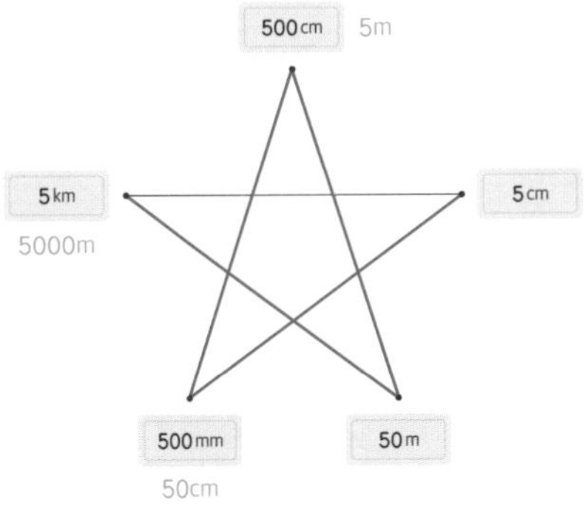

정답

3주차: 시, 분, 초

32쪽·33쪽

1일차 1분보다 작은 단위

월 일

■ 시계를 보고 빈칸에 알맞은 수를 써넣으세요.

짧은바늘은 [5]와 [6] 사이, 긴바늘은 6을 지나고 있고,

초바늘이 [2]에서 2칸 더 간 곳을 가리키면 [5]시 [30]분 [12]초입니다.

초바늘이 작은 눈금 한 칸을 가는 동안 걸리는 시간을 1초라고 합니다.

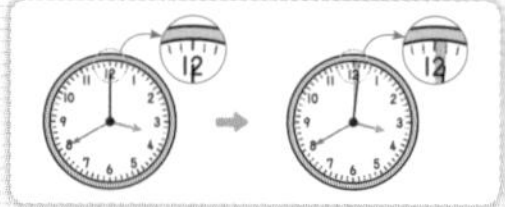

작은 눈금 한 칸 = 1초

초바늘이 시계를 한 바퀴 도는 데 걸리는 시간은 60초이고, 60초 동안 긴바늘은 작은 눈금 한 칸을 갑니다. 따라서 60초는 1분입니다.

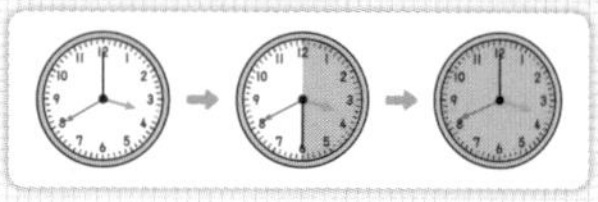

60초 = 1분

■ 시각을 바르게 읽은 것에 ○표 하세요.

(2시 25분 5초) / 2시 25분 1초

9시 18분 28초 / (9시 17분 28초)

11시 3분 15초 / (11시 3분 16초)

(9시 17분 52초) / 9시 18분 52초

17분에서 52초가 지났고, 8초만 더 지나면 18분이 됩니다. 따라서 긴바늘이 18분에 더 가깝더라도 18분이 되지 않았으므로 9시 17분 52초입니다.
초 단위의 시각을 읽을 때는 긴바늘의 위치에 주의합니다.

짧은바늘은 3과 4 사이, 긴바늘은 8을 지나고 있고, 초바늘이 6을 가리키고 있습니다.
이때 긴바늘은 8은 지났지만 작은 눈금 한 칸을 더 간 것은 아니므로 3시 40분 30초입니다.

짧은바늘은 3과 4 사이, 긴바늘은 8을 지나고 있고, 초바늘이 10을 가리키고 있습니다.
이때 긴바늘은 8보다 8에서 작은 눈금 한 칸을 간 곳과 더 가깝지만 아직 41분은 되지 않았으므로 3시 40분 50초입니다.
*3시 41분 50초로 읽지 않도록 주의합니다.

만약 3시 41분 50초라면 긴바늘은 8에서 작은 눈금 2칸을 더 간 곳과 더 가까울 것입니다.

34쪽·35쪽

2일차 시각 읽기

월 일

■ 시각을 읽어 보세요.

[1]시 [23]분 [15]초

[6]시 [8]분 [50]초

[10]시 [40]분 [7]초

[1]시 [43]분 [26]초

[4]시 [55]분 [37]초

[7]시 [19]분 [43]초

■ 같은 시각을 나타내는 시계끼리 이어 보세요.

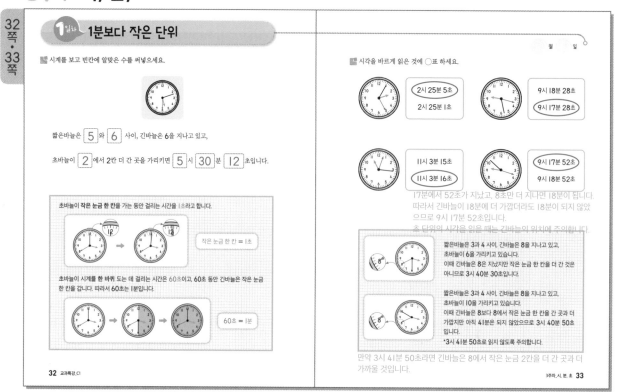

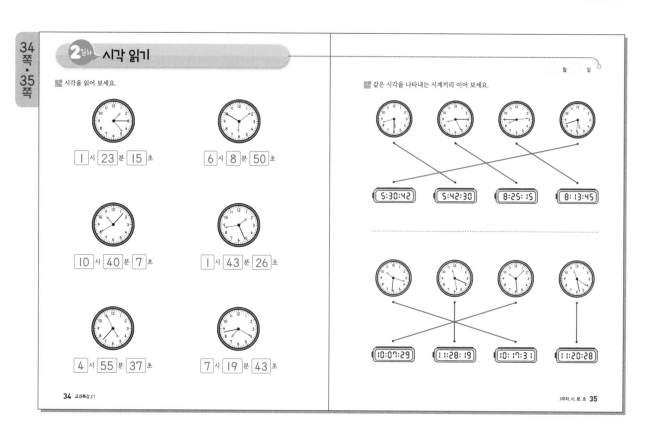

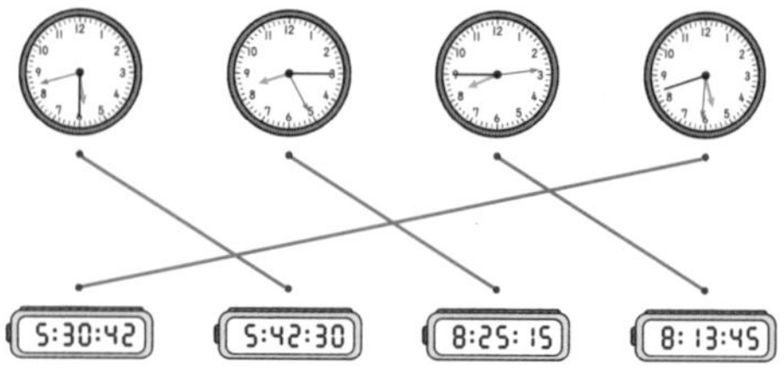

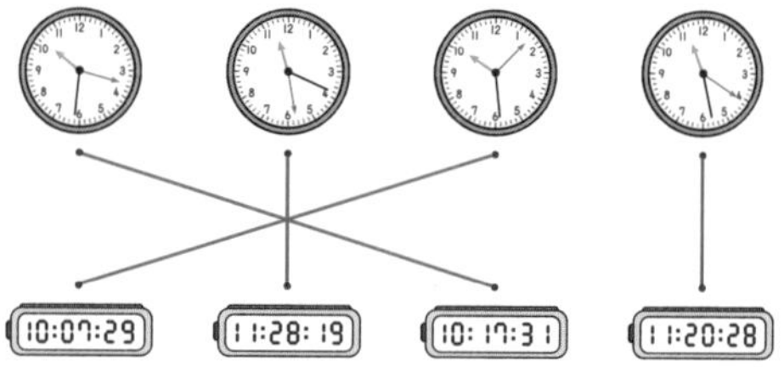

3일차 초바늘 그리기

시각에 맞게 초바늘을 그려 넣으세요.

2시 50분 5초

1을 가리키도록 그립니다.

1시 30분 50초

10을 가리키도록 그립니다.

7시 15분 35초

7을 가리키도록 그립니다.

10시 10분 29초

5에서 4칸 더 간 곳을 가리키도록 그립니다.

6시 20분 8초

1에서 3칸 더 간 곳을 가리키도록 그립니다.

4시 52분 44초

8에서 4칸 더 간 곳을 가리키도록 그립니다.

1:33:15

3을 가리키도록 그립니다.

12:09:34

6에서 4칸 더 간 곳을 가리키도록 그립니다.

9:10:56

11에서 1칸 더 간 곳을 가리키도록 그립니다.

월 일

설명에 맞게 초바늘을 그리고 시각을 써 보세요.

초바늘이 12초를 나타냅니다.

1 시 40 분 12 초

2에서 2칸 더 간 곳을 가리키도록 그립니다.

초바늘이 41초를 나타냅니다.

6 시 15 분 41 초

8에서 1칸 더 간 곳을 가리키도록 그립니다.

초바늘이 10을 가리킵니다.

5 시 29 분 50 초

초바늘이 4에서 2칸 더 간 곳을 가리킵니다.

12 시 10 분 22 초

초바늘이 12에서 3칸 더 간 곳을 가리킵니다.

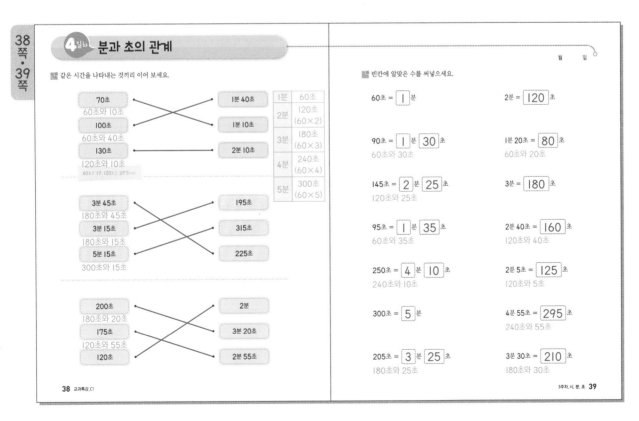

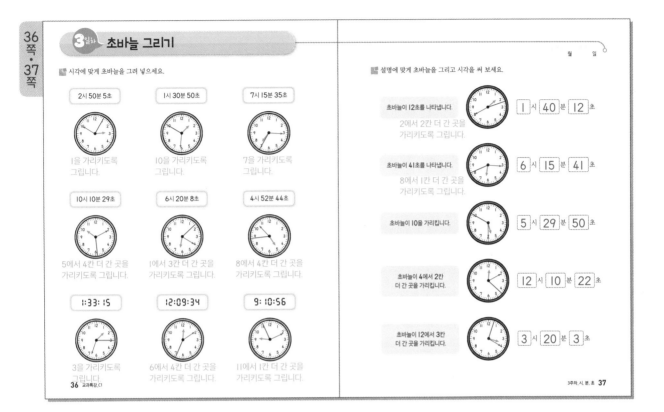

3 시 20 분 3 초

4일차 분과 초의 관계

같은 시간을 나타내는 것끼리 이어 보세요.

- 70초 (60초와 10초) — 1분 10초
- 100초 (60초와 40초) — 1분 40초
- 130초 (120초와 10초) — 2분 10초

60초는 1분, 120초는 2분입니다.

1분	60초
2분	120초 (60×2)
3분	180초 (60×3)
4분	240초 (60×4)
5분	300초 (60×5)

- 3분 45초 (180초와 45초) — 225초
- 3분 15초 (180초와 15초) — 195초
- 5분 15초 (300초와 15초) — 315초

- 200초 (180초와 20초) — 3분 20초
- 175초 (120초와 55초) — 2분 55초
- 120초 — 2분

월 일

빈칸에 알맞은 수를 써넣으세요.

60초 = 1 분

2분 = 120 초

90초 = 1 분 30 초
60초와 30초

1분 20초 = 80 초
60초와 20초

145초 = 2 분 25 초
120초와 25초

3분 = 180 초

95초 = 1 분 35 초
60초와 35초

2분 40초 = 160 초
120초와 40초

250초 = 4 분 10 초
240초와 10초

2분 5초 = 125 초
120초와 5초

300초 = 5 분

4분 55초 = 295 초
240초와 55초

205초 = 3 분 25 초
180초와 25초

3분 30초 = 210 초
180초와 30초

정답

40쪽·41쪽

5일차 시간 비교하기

시간이 가장 긴 것부터 차례로 기호를 써 보세요.

㉠ 70초 (70초) ㉡ 1분 2초 (62초) ㉢ 59초 (59초) (㉠ , ㉡ , ㉢)	㉠ 1분 57초 (117초) ㉡ 120초 (120초) ㉢ 2분 10초 (130초) (㉢ , ㉡ , ㉠)
㉠ 150초 (150초) ㉡ 2분 45초 (165초) ㉢ 129초 (129초) (㉡ , ㉠ , ㉢)	㉠ 3분 23초 (203초) ㉡ 198초 (198초) ㉢ 2분 54초 (174초) (㉠ , ㉡ , ㉢)
㉠ 166초 (166초) ㉡ 3분 3초 (183초) ㉢ 180초 (180초) (㉡ , ㉢ , ㉠)	㉠ 1분 55초 (115초) ㉡ 98초 (98초) ㉢ 2분 34초 (154초) (㉢ , ㉠ , ㉡)

월 일

물음에 답하세요.

친구들이 오래달리기를 했습니다. 기록이 가장 빠른 친구는 누구일까요?

수지	예준	다연	도윤
190초	2분 50초 (170초)	178초	3분 2초 (182초)

(예준)

친구들이 빵을 먹은 시간입니다. 빵을 가장 오래 먹은 친구는 누구일까요?

유준	지율	도현	수빈
5분 (300초)	290초	4분 45초 (285초)	305초

(수빈)

가장 짧은 시간을 나타내는 것부터 차례로 기호를 써 보세요.

㉠ 전자레인지에 밥을 120초 동안 데웠습니다.
㉡ 양치질을 3분 5초 동안 했습니다. 185초
㉢ 2분 27초 동안 전화 통화를 했습니다. 147초

(㉠ , ㉢ , ㉡)

42쪽

생각 + 더하기

도착한 순서

하은, 수호, 서준, 재아가 학교에 도착한 시각입니다. 학교에 가장 먼저 도착한 친구부터 차례로 이름을 써 보세요.

하은

8시 55분 25초

수호

9시 3분 8초

서준

9시 1분 15초

재아

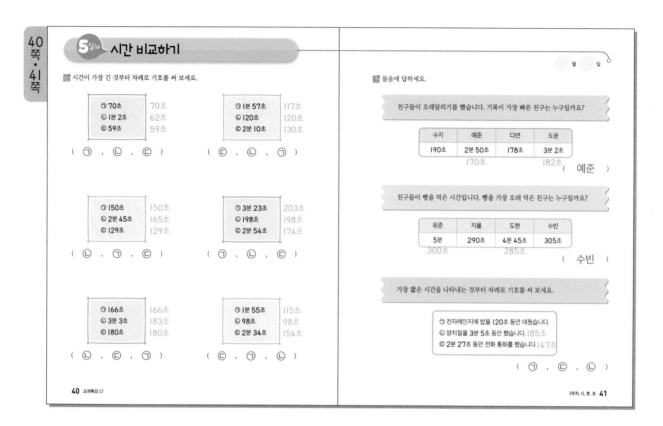

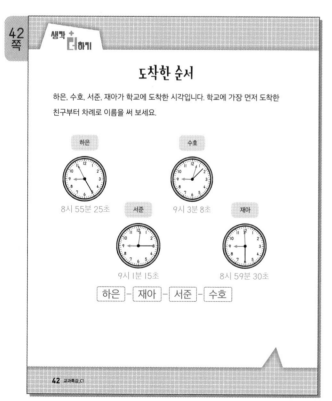

8시 59분 30초

하은 - 재아 - 서준 - 수호

4주차: 시간의 덧셈과 뺄셈

44쪽·45쪽

1일차 시간 더하기

월 일

■ 빈칸에 알맞은 수를 써넣으세요.

3 분 25 초
\+ 12 분 33 초
[15] 분 [58] 초

4 시 45 분 10 초
\+ 5 분 17 초
[4] 시 [50] 분 [27] 초

9 시 8 분 30 초
\+ 1 시간 15 분 14 초
[10] 시 [23] 분 [44] 초

5 시간 16 분
\+ 3 시간 30 분 25 초
[8] 시간 [46] 분 [25] 초

2시 20분 27초 + 19분 7초 = [2] 시 [39] 분 [34] 초

6시 5분 24초 + 5시간 16분 19초 = [11] 시 [21] 분 [43] 초

시간을 더할 때는 시 단위의 수끼리, 분 단위의 수끼리, 초 단위의 수끼리 더합니다.

9 시 18 분 25 초
\+ 7 분 18 초
9 시 25 분 43 초
9시 18분 25초 + 7분 18초
= 9시 25분 43초

5 시 5 분 34 초
\+ 1 시간 36 분 16 초
6 시 41 분 50 초
5시 5분 34초 + 1시간 36분 16초
= 6시 41분 50초

■ 빈칸에 알맞은 수를 써넣으세요.

20 분 42 초
\+ 15 분 53 초
[36] 분 [35] 초
35분 95초
95초는 1분 35초입니다.

7 시 55 분
\+ 9 분
[8] 시 [4] 분
7시 64분

5 시 12 분 51 초
\+ 3 시간 7 분 35 초
[8] 시 [20] 분 [26] 초
8시 19분 86초

1 시간 23 분 40 초
\+ 2 시간 10 분 20 초
[3] 시간 [34] 분
3시간 33분 60초

3시 45분 29초 + 4분 51초 = [3] 시 [50] 분 [20] 초
3시 49분 80초 → 3시 50분 20초

60초는 1분이므로 초끼리 더해서 60초가 되면 1분으로 바꿉니다.

15 분 35 초
\+ 5 분 30 초
20 분 65 초
→
15 분 35 초
\+ 5 분 30 초
21 분 5 초

60분은 1시간이므로 분끼리 더해서 60분이 되면 1시간으로 바꿉니다.

4 시 53 분
\+ 2 시간 25 분
6 시 78 분
→
4 시 53 분
\+ 2 시간 25 분
7 시 18 분

46쪽·47쪽

2일차 시각과 시간 구하기 (1)

월 일

■ 시계가 나타내는 시각에서 주어진 시간 후의 시각을 구해 보세요.

45초 후 → [8] 시 [19] 분 [15] 초
8시 18분 30초 + 45초
= 8시 18분 75초 → 8시 19분 15초

5분 28초 후 → [10] 시 [30] 분 [42] 초
10시 25분 14초 + 5분 28초
= 10시 30분 42초

35분 20초 후 → [2] 시 [20] 분 [24] 초
1시 45분 4초 + 35분 20초
= 1시 80분 24초 → 2시 20분 24초

1시간 15분 30초 후 → [6] 시 [23] 분 [53] 초
5시 8분 23초 + 1시간 15분 30초
= 6시 23분 53초

3시간 43분 55초 후 → [12] 시 [54] 분 [40] 초
9시 10분 45초 + 3시간 43분 55초
= 12시 53분 100초 → 12시 54분 40초

■ 물음에 답하세요.

선예는 40분 30초 동안 오븐에 빵을 구웠습니다. 빵을 굽기 시작한 시각이 2시 15분 5초라면 빵을 다 구운 시각은 몇 시 몇 분 몇 초일까요?

2시 15분 5초 + 40분 30초
= 2시 55분 35초
[2] 시 [55] 분 [35] 초

시훈이는 4분 45초 동안 노래를 듣고 바로 이어서 5분 35초 동안 노래를 들었습니다. 시훈이가 노래를 들은 시간은 모두 몇 분 몇 초일까요?

4분 45초 + 5분 35초
= 9분 80초 → 10분 20초
[10] 분 [20] 초

마라톤 선수가 8시 50분에 출발하여 2시간 19분 23초 후에 결승선에 도착하였습니다. 이 선수가 도착한 시각은 몇 시 몇 분 몇 초일까요?

8시 50분 + 2시간 19분 23초
= 10시 69분 23초 → 11시 9분 23초
[11] 시 [9] 분 [23] 초

기차가 3시 5분 38초에 서울역을 출발하여 2시간 33분 56초 후에 부산역에 도착했습니다. 부산역에 도착한 시각은 몇 시 몇 분 몇 초일까요?

3시 5분 38초 + 2시간 33분 56초
= 5시 38분 94초 → 5시 39분 34초
[5] 시 [39] 분 [34] 초

정답

48쪽 · 49쪽

3일차 시간 빼기

■ 빈칸에 알맞은 수를 써넣으세요.

15 분 28 초 − 6 분 12 초 = [9]분 [16]초

8 시 36 분 50 초 − 13 분 20 초 = [8]시 [23]분 [30]초

10 시 45 분 50 초 − 3 시간 21 분 7 초 = [7]시 [24]분 [43]초

6 시 55 분 32 초 − 1 시 14 분 24 초 = [5]시간 [41]분 [8]초

4시 35분 49초 − 10분 13초 = [4]시 [25]분 [36]초

3시 10분 32초 − 2시간 3분 15초 = [1]시 [7]분 [17]초

시간을 뺄 때는 시 단위의 수끼리, 분 단위의 수끼리, 초 단위의 수끼리 뺍니다.

5시 45분 55초 − 8분 20초 = 5시 37분 35초

5시 45분 55초 − 8분 20초
= 5시 37분 35초

7시 30분 29초 − 3시간 15분 6초 = 4시 15분 23초

7시 30분 29초 + 3시간 15분 6초
= 4시 15분 23초

월 일

■ 빈칸에 알맞은 수를 써넣으세요.

(34, 60) 35 분 13 초 − 11 분 41 초 = [23]분 [32]초

35분 13초에서 60초를 받아내림하면 34분 73초가 됩니다.

(2, 60) 3 시 − 40 분 = [2]시 [20]분

(5, 60) 6 시 18 분 32 초 − 1 시간 25 분 3 초 = [4]시 [53]분 [29]초

(28, 60) 2 시간 29 분 20 초 − 2 시간 14 분 56 초 = [14]분 [24]초

4시 25분 − 5분 45초 = [4]시 [19]분 [15]초

4시 24분 60초 − 5분 45초 = 4시 19분 15초

초끼리 뺄 수 없으면 1분을 60초로 바꿉니다.(60초를 받아내림 하여 65초에서 10초를 뺍니다.)

35분 5초 − 11분 10초 → (34, 60) 35분 5초 − 11분 10초 = 23분 55초

분끼리 뺄 수 없으면 1시간을 60분으로 바꿉니다. (60분을 받아내림 하여 85분에서 38분을 뺍니다.)

8시 25분 − 3시간 38분 = 시 분 → (7, 60) 8시 25분 − 3시간 38분 = 4시 47분

50쪽 · 51쪽

4일차 시각과 시간 구하기 (2)

■ 시작한 시각과 끝난 시각을 보고 걸린 시간을 구해 보세요.

책을 읽기 시작한 시각 / 책 읽기를 끝낸 시각

책을 읽는 데 걸린 시간 [30]분 [12]초

8시 40분 20초 − 8시 10분 8초
= 30분 12초

축구를 시작한 시각 / 축구를 끝낸 시각

축구를 하는 데 걸린 시간 [1]시간 [14]분 [35]초

4시 50분 15초 − 3시 35분 40초 → 4시 49분 75초 − 3시 35분 40초
= 1시간 14분 35초

체험을 시작한 시각 / 체험을 끝낸 시각

체험을 하는 데 걸린 시간 [1]시간 [35]분 [13]초

11시 5분 38초 − 9시 30분 25초 → 10시 65분 38초 − 9시 30분 25초
= 1시간 35분 13초

월 일

■ 물음에 답하세요.

지용이는 숙제를 하는 데 35분 25초 걸렸고 준하는 29분 10초 걸렸습니다. 지용이는 준하보다 몇 분 몇 초 더 걸렸나요?

35분 25초 − 29분 10초
= 6분 15초

[6]분 [15]초

재원이가 45분 동안 운동을 하고 시계를 보았더니 5시 15분이었습니다. 재원이가 운동을 시작한 시각은 몇 시 몇 분이었을까요?

5시 15분 − 45분 → 4시 75분 − 45분
= 4시 30분

[4]시 [30]분

정후는 15분 30초 동안 걸어서 공원에 도착했습니다. 공원에 도착한 시각이 12시 36분 10초라면 출발한 시각은 몇 시 몇 분 몇 초였을까요?

12시 36분 10초 − 15분 30초
→ 12시 35분 70초 − 15분 30초
= 12시 20분 40초

[12]시 [20]분 [40]초

서율이는 1시 50분 15초부터 4시 15분 30초까지 영화를 보았습니다. 서율이가 영화를 본 시간은 몇 시간 몇 분 몇 초일까요?

4시 15분 30초 − 1시 50분 15초
→ 3시 75분 30초 − 1시 50분 15초
= 2시간 25분 15초

[2]시간 [25]분 [15]초

52쪽·53쪽

5일차 시간의 합과 차

월 일

1 놀이공원에 있는 놀이기구의 운행 시간입니다. 물음에 답하세요.

회전목마	바이킹	범퍼카	우주열차
3분 15초	3분 30초	2분 25초	2분 10초

범퍼카와 우주열차의 운행 시간을 더하면 얼마인가요? 4 분 35 초

2분 25초 + 2분 10초 = 4분 35초

회전목마는 범퍼카보다 얼마나 더 오래 운행하나요? 50 초

3분 15초 − 2분 25초 → 2분 75초 − 2분 25초
= 50초

가장 오래 운행하는 놀이기구는 가장 짧게 운행하는 놀이기구보다 얼마나 더 오래 운행하나요? 1 분 20 초

바이킹이 가장 오래 운행하고, 우주열차가 가장 짧게 운행합니다.
3분 30초 − 2분 10초 = 1분 20초

3분에 가장 가깝게 운행하는 놀이기구는 무엇인가요? (회전목마)

각 놀이기구와 3분과의 차를 구합니다.
회전목마: 15초, 바이킹: 30초, 범퍼카: 35초, 우주열차: 50초

2 영화가 시작한 시각과 끝난 시각입니다. 물음에 답하세요.

영화	시간 탐험대	탐정 우디
시작한 시각	2시 10분 20초	4시 10분 30초
상영 시간	1시간 42분	2시간 5분 30초

시간 탐험대가 끝나는 시각은 언제인가요? 3 시 52 분 20 초

2시 10분 20초 + 1시간 42분
= 3시 52분 20초

탐정 우디가 끝나는 시각은 언제인가요? 6 시 16 분

4시 10분 30초 + 2시간 5분 30초
= 6시 15분 60초 → 6시 16분

탐정 우디는 시간 탐험대보다 얼마나 더 오래 상영하나요? 23 분 30 초

2시간 5분 30초 − 1시간 42분 → 1시간 65분 30초 − 1시간 42분
= 23분 30초

시간 탐험대가 끝나고 탐정 우디를 보려면 얼마나 기다려야 하나요? 18 분 10 초

4시 10분 30초 − 3시 52분 20초 → 3시 70분 30초 − 3시 52분 20초
= 18분 10초

54쪽

생각 더하기

해가 떠 있는 시간

어느 겨울날 오전 7시 23분 10초에 해가 떠서 오후 5시 14분 50초에 해가 졌습니다. 이 날 해가 떠 있는 시간은 몇 시간 몇 분 몇 초일까요?

해가 뜬 시각	오전 7시 23분 10초
해가 진 시각	오후 5시 14분 50초

9 시간 51 분 40 초

17시 14분 50초 − 7시 23분 10초 → 16시 74분 50초 − 7시 23분 10초
= 9시간 51분 40초

또는 12시를 기준으로 오전과 오후 시간을 각각 구한 다음 더해도 됩니다.
오전에 해가 떠 있는 시간: 4시간 36분 50초
오후에 해가 떠 있는 시간: 5시간 14분 50초
4시간 36분 50초 + 5시간 14분 50초
= 9시간 50분 100초 → 9시간 51분 40초

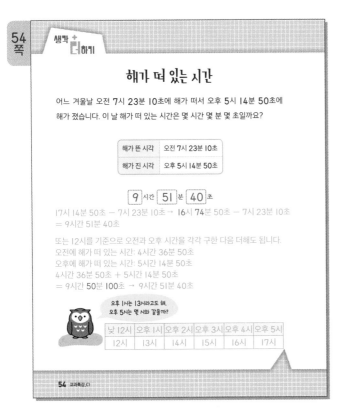

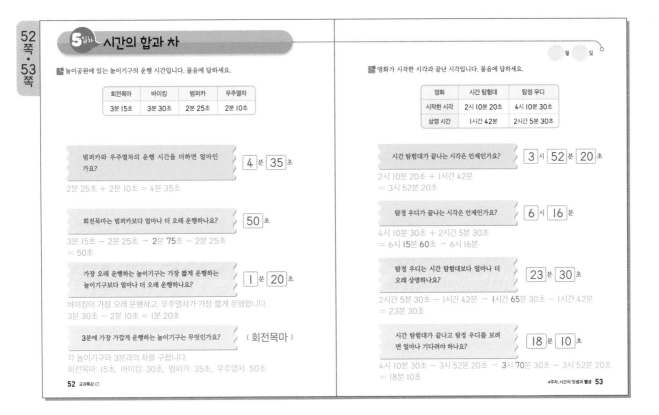

오후 1시는 13시라고도 해.
오후 5시는 몇 시와 같을까?

낮 12시	오후 1시	오후 2시	오후 3시	오후 4시	오후 5시
12시	13시	14시	15시	16시	17시

정답

링크: 어림하기

56쪽·57쪽

LINK 1 길이의 단위

설명에 맞는 것에 모두 ○표 하세요.

100mm보다 긴 것 =10cm

공깃돌의 길이 / (호수 한 바퀴의 길이) / (한 팔의 길이)
개미의 길이 / (칠판 짧은 쪽의 길이) / 엄지손가락의 길이

10mm보다 짧은 것 =1cm

물컵의 높이 / 휴대 전화 짧은 쪽의 길이 / (쌀 한 톨의 길이)
(10원짜리 동전의 두께) / 의자의 높이 / 바늘의 길이

1000m보다 긴 것 =1km 평지 1km를 걷는 데 약 15~20분 정도 걸립니다. 걷는 시간을 생각하면서 거리를 어림해 봅니다.

(한강의 길이) 약 500km / (서울에서 부산까지의 거리) 약 400km / 10층 건물의 높이 약 30m
기차 한 량의 길이 약 20m / 축구장 긴 쪽의 길이 약 100m / (백두산의 높이) 2744m

길이 단위를 바르게 사용한 말에 ○표, 잘못 사용한 말에 ×표 하세요.

- 건물 한 층의 높이는 약 3m입니다. (○)
- 교과특강 책 긴 쪽의 길이는 약 27mm입니다. (×) cm
- 줄넘기의 길이는 약 200cm입니다. (○)
- 한라산의 높이는 약 2km입니다. (○)
- 내 신발의 길이는 약 20mm입니다. (×) cm
- 한 뼘의 길이는 약 150cm입니다. (×) mm
- 한 걸음의 길이는 약 50cm입니다. (○)

58쪽·59쪽

LINK 2 단위 고르기

가장 적절한 단위를 골라 빈칸에 써넣으세요.

mm cm m km

- 내 발의 길이는 약 220 [mm] 입니다.
- 서울에서 대구까지의 거리는 약 290 [km] 입니다.
- 내 키는 약 145 [cm] 입니다.
- 버스의 길이는 약 9 [m] 입니다.

시간 분 초

- 아침을 먹는 데 걸리는 시간은 20 [분] 입니다.
- 횡단보도를 건너는 데 걸리는 시간은 30 [초] 입니다.
- 등산을 하는 데 걸리는 시간은 3 [시간] 입니다.
- 노래 한 곡을 듣는 데 걸리는 시간은 4 [분] 입니다.

가장 적절한 말을 골라 빈칸에 써넣으세요.

20mm 200m 120cm 220km

- 서울에서 강릉까지의 거리는 약 [220km] 입니다.
- 강낭콩의 길이는 약 [20mm] 입니다.
- 책장의 가로 길이는 약 [120cm] 입니다.
- 학교 운동장 한 바퀴의 길이는 약 [200m] 입니다.

5분 15초 5시간 50분

- 물 한 잔을 마시는 데 걸리는 시간은 [15초] 입니다.
- 4교시가 끝난 후 점심 시간은 [50분] 입니다.
- 서울에서 부산까지 버스를 타고 가는 데 걸리는 시간은 [5시간] 입니다.
- 라면을 끓이는 데 걸리는 시간은 [5분] 입니다.

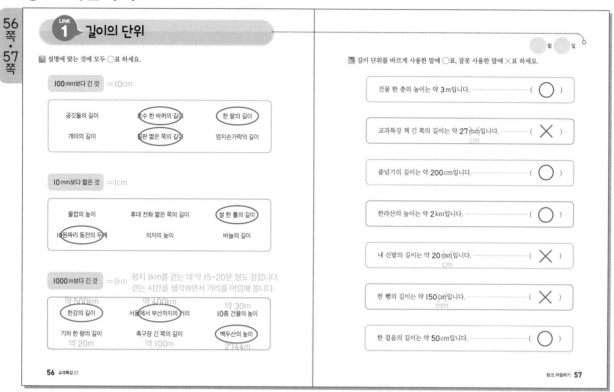

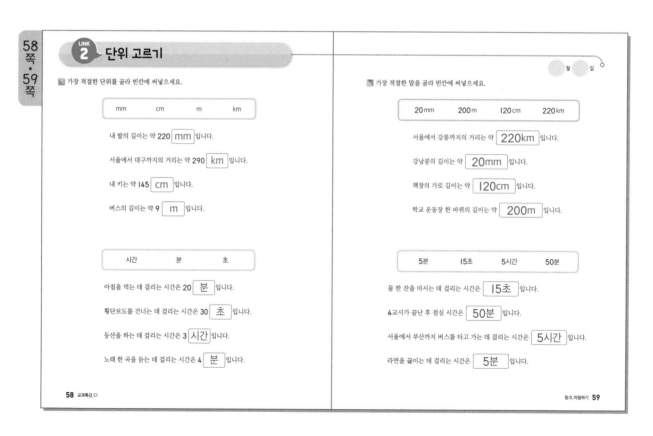

60쪽·61쪽

LINK 3 거리 어림하기

그림을 보고 빈칸에 알맞은 수를 써넣으세요.

수지네 집에서 공원까지의 거리는 약 [2] km입니다.

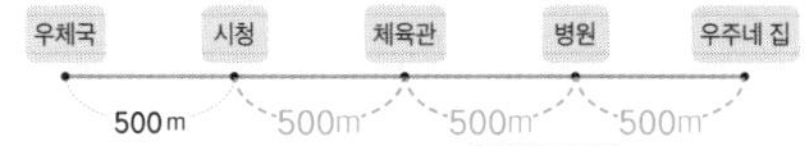

우주네 집에서 시청까지의 거리는 약 [1500] m입니다.

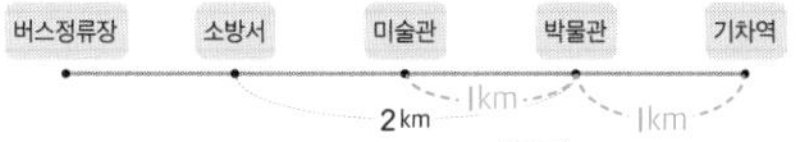

박물관에서 기차역까지의 거리는 약 [1] km입니다.

빵집에서 편의점까지의 거리는 약 [2000] m입니다.

월 일

그림을 보고 물음에 답하세요.

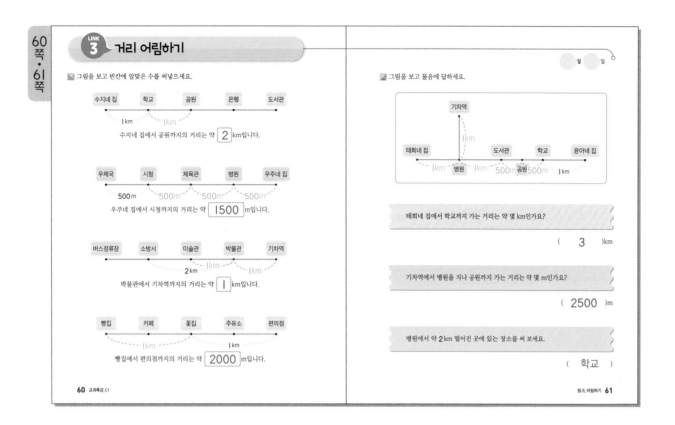

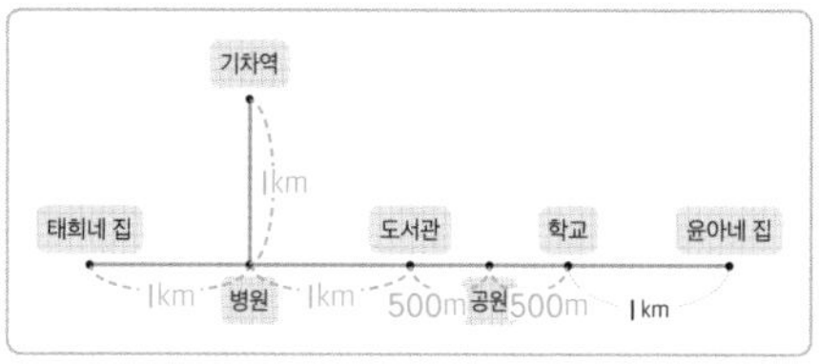

태희네 집에서 학교까지 가는 거리는 약 몇 km인가요?

(3)km

기차역에서 병원을 지나 공원까지 가는 거리는 약 몇 m인가요?

(2500)m

병원에서 약 2 km 떨어진 곳에 있는 장소를 써 보세요.

(학교)

정답

형성평가

64쪽 · 65쪽

형성평가 1회

1 길이가 같은 것끼리 이어 보세요.

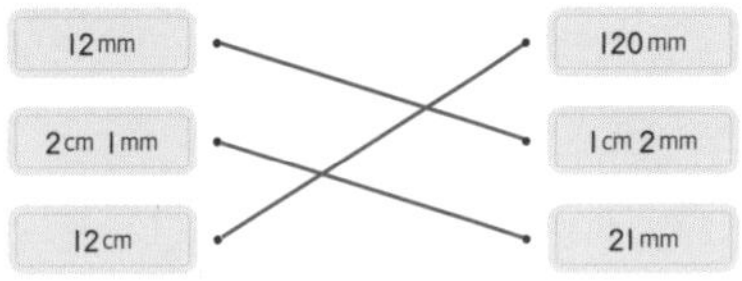

2 길이를 잘못 나타낸 문장의 기호를 모두 써 보세요.

㉠ 5000m는 5km입니다.
㉡ 3km 3m는 3300m입니다.
㉢ 1050m는 1km 500m입니다.
㉣ 8km 120m는 8120m입니다.

(㉡ , ㉢)

㉡ 3km 3m = 3003m
㉢ 1050m = 1km 50m

3 물건의 길이를 재었습니다. 길이가 가장 긴 물건부터 차례로 써 보세요.

물건	포크	연필	칫솔
길이	13cm 5mm (135mm)	98mm	16cm 3mm (163mm)

(칫솔 , 포크 , 연필)

4 시각을 읽어 보세요.

11 시 15 분 35 초

3 시 40 분 22 초

5 인규는 신호를 3분 42초 동안 기다렸고 시후는 218초 동안 기다렸습니다. 신호를 더 오래 기다린 친구는 누구일까요?

인규: 3분 42초 = 222초
시후: 218초

(인규)

6 재한이는 1시간 40분 30초 동안 피아노 연습을 했습니다. 재한이가 연습을 시작한 시각이 다음과 같다면 연습을 끝낸 시각은 몇 시 몇 분 몇 초일까요?

시작한 시각

4:35:10

6 시 15 분 40 초

4시 35분 10초 + 1시간 40분 30초
= 5시 75분 40초 → 6시 15분 40초

66쪽 · 67쪽

형성평가 2회

1 다리의 길이를 나타내어 보세요.

다리	원효대교	양화대교
길이	1470m	1km 53m

원효대교: 1 km 470 m
양화대교: 1053 m

2 막대의 길이를 바르게 잰 것에 ○표 하세요.

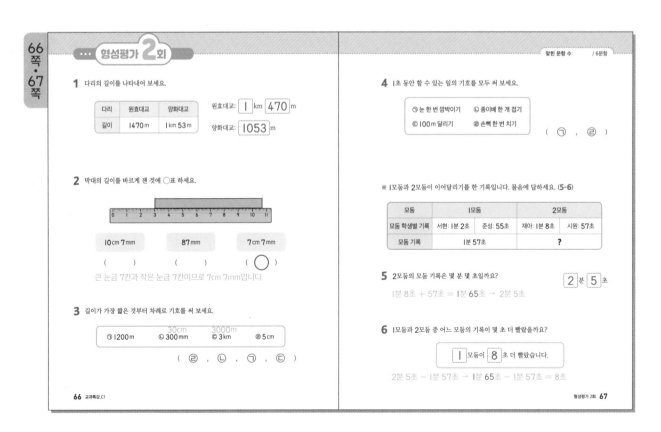

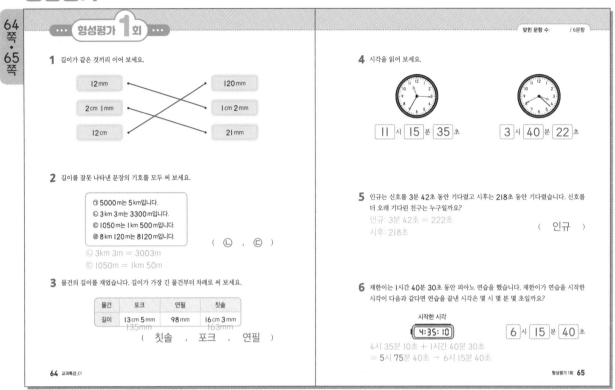

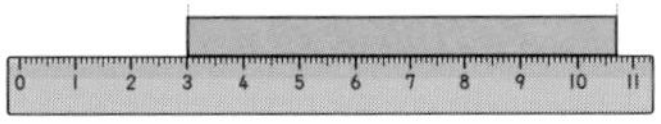

10cm 7mm	87mm	7cm 7mm
( )	( )	(○)

큰 눈금 7칸과 작은 눈금 7칸이므로 7cm 7mm입니다.

3 길이가 가장 짧은 것부터 차례로 기호를 써 보세요.

㉠ 1200m　㉡ 300mm (30cm)　㉢ 3km (3000m)　㉣ 5cm

(㉣ , ㉡ , ㉠ , ㉢)

4 1초 동안 할 수 있는 일의 기호를 모두 써 보세요.

㉠ 눈 한 번 깜박이기　㉡ 종이배 한 개 접기
㉢ 100m 달리기　㉣ 손뼉 한 번 치기

(㉠ , ㉣)

※ 1모둠과 2모둠이 이어달리기를 한 기록입니다. 물음에 답하세요. (5~6)

모둠	1모둠		2모둠	
모둠 학생별 기록	서현: 1분 2초	준성: 55초	재아: 1분 8초	시원: 57초
모둠 기록	1분 57초		?	

5 2모둠의 모둠 기록은 몇 분 몇 초일까요?

2 분 5 초

1분 8초 + 57초 = 1분 65초 → 2분 5초

6 1모둠과 2모둠 중 어느 모둠의 기록이 몇 초 더 빨랐을까요?

1 모둠이 8 초 더 빨랐습니다.

2분 5초 − 1분 57초 → 1분 65초 − 1분 57초 = 8초

초등 수학 핵심파트 집중 완성 교과특강

"교과수학을 완성합니다."

수와 도형의 배열에서 규칙을 찾아
사고력을 기릅니다.

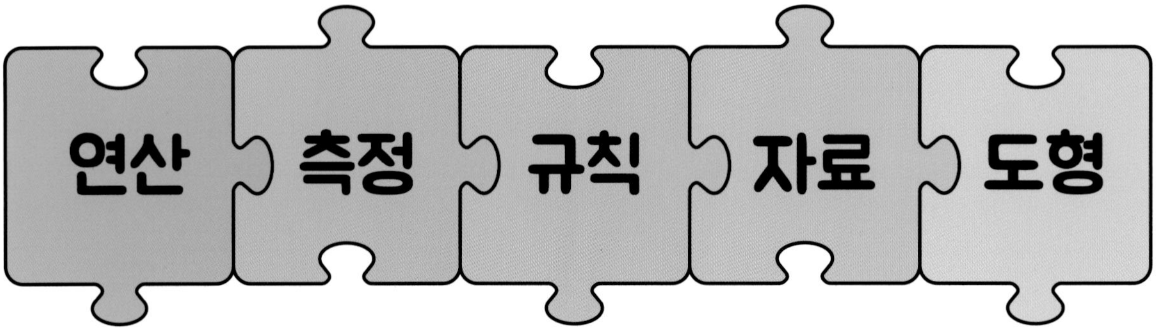

양을 측정하고 어림하여
실생활의 수 감각을 기릅니다.

표와 그래프를 해석하여
추론능력을 기릅니다.